早春晴朗
- 01 -
姑娘別哭 著
YY——繪
願我們年年有今日
也願大家都能擁有屬於自己的
早春晴朗
姑娘別哭
高寶書版集團

目錄
CONTENTS

第一章 你好北京 005
第二章 異鄉孤獨 032
第三章 首次出差 060
第四章 升級之路 092
第五章 值得獎勵 124
第六章 跟進專案 156
第七章 一時衝動 186
第八章 保守祕密 220
第九章 她的喜歡 250
第十章 悵然若失 280
第十一章 新年快樂 311

第一章　你好北京

那一年北京城的雨水比往常多，甚至比尚之桃剛離開的南方還要多。那雨淅瀝瀝地下，雲層之上依稀有雲煙，說不清這情景是寫意還是清冷。

尚之桃正在折騰她那兩個大行李箱，一箱裝滿書，一箱裝滿衣服和鞋子，再沒有別的東西了。從南京到北京，二十二歲的她完成了人生第一次獨自遷徙的壯舉。

細密的汗珠在她額頭上、臉頰上，臉熱成了粉紅色，尚之桃覺得自己要融化了。明天一定要去買個風扇，她在心中盤算。

狹小的隔間因為這兩個行李箱變得更加擁擠，她聽到旁邊房間的女生在講電話：「週末我去你那吧？我旁邊的房間搬來人了，隔音不好。」

尚之桃反應了一下下，才明白她在說什麼。她戴上耳機播放音樂，而後繼續收拾東西，只是動作更輕了些。在她出發前學姐姚蓓就告訴她：生活在這座城市，要多一些體諒，因為到處都是在受苦的人。尚之桃隱隱體會到了學姐說的受苦是什麼。

她畢業後本打算留在南方，但那樣就離父母太遠了，思量很久，將所有履歷都投向北京的公司。作為一個不那麼知名的大學畢業的學生，她能拿到這家公司的特別 offer 簡直令人興奮。尚之桃甚至覺得自己極其幸運。

等她將東西擺放整齊後環顧這間小小的房間，才發現這房間有多簡陋，當初在網路上看房，仲介幫她拍了幾張照片寄郵件給她，她看照片甚至覺得還行。可現在這一窮二白的房間裡，除了那一張覆著碎花的床，再也找不到及格的地方。她靠在床頭，支起雙腿，拿出筆記本認真寫著明天該去買什麼。飯以後要做的，她只有從學校帶來的那一個小電鍋和一個印著秦淮河夜景的碗；衣服要洗的，出租屋裡的公共洗衣機她不大敢用。讀書時她沒為自己操過的心今天全補了回來。這一操心，才發現這日子竟是這樣雞零狗碎。

她的本子寫滿三頁，三頁紙上的字在尚之桃眼中都化成了一個「錢」字。都是要錢才能去買的呢！

她倒是有一點錢，讀書時勤工儉學存了一些，前幾天老尚怕她自己生活受苦，去銀行轉一萬元給她。

尚之桃捨不得花。又從第一行看起，思考哪些急用，哪些可以等等。在後面填上了一列，寫著近日買，第一次發薪水買，第二次發薪水買。

她寫著寫著突然覺得自己有點滑稽狼狽，將本子丟到一旁，一下撲在床上，咯咯笑出聲音。她還未褪去天真，動作也不沉穩，對即將到來的生活丁點不知。

管他呢！

她覺得自己很勇敢，而那勇敢到了深夜就會消退。她跳下床，將行李箱推到門邊，兩個疊在一起，嚴嚴實實擋著門。慢慢的，身體裡有了尿意，她強忍著不出去上廁所，緊閉著眼睛數羊。尿意、恐懼都與睏意作對，勇敢與懦弱在身體內交錯擂鼓。

獨在異鄉為異客的第一個夜晚，無比漫長。

第二天還在下雨，她睜眼時想起在她的出租屋附近有一個菜市場，她昨天坐公車來的時候看到了，她決定去那裡買一些小東西。她穿上雨衣挪開行李箱推開房間門，看到一個女孩正站在洗手間洗衣服，她長得柔柔弱弱，有一點像南方女孩。尚之桃朝她笑笑：「妳好啊，我叫尚之桃。」

那女孩也朝她笑笑：「妳好，我叫孫雨。」聲音不陌生，是尚之桃隔壁的女孩：「外面還在下雨，妳要去哪？」

「我想去菜市場買點東西。」

「那邊小偷多，妳剛來北京吧？一個人不方便，我陪妳去吧。」孫雨擦乾淨手，小跑著回到房間拿了雨傘。

「妳今天不上班嗎？」

「我辭職了。」孫雨神情黯淡了一下，然後走在尚之桃前面為她帶路。

她們住的這棟公寓屋齡很老，樓梯間裡擺放著各種東西，昏暗擁擠。尚之桃拿出小手電筒打開，對孫雨說：「妳別摔倒了。」

兩個人終於出了門，細雨落在尚之桃的雨衣上，發出沙沙聲響。

「妳是哪裡人？」孫雨問她。

「我是冰城人。妳呢？」

「我是貴州人。」

「哇，貴州，好遠。」尚之桃發出一聲驚呼，她生在冰城，讀書時也只去過南京周邊的幾個地方，貴州於她而言，像是在天邊。

孫雨聽到她的驚呼，看到尚之桃的眼睛睜大，忍不住笑了：「妳真可愛。」

尚之桃冷不防被人誇獎有點臉紅，嘿嘿笑了聲。去往菜市場的路很泥濘，兩個人深一腳淺一腳甩了一褲管泥，終於進了菜市場。那菜市場裡什麼都有賣，尚之桃買了碗筷和鍋具，還有四個大小各異的水盆、花架以及花草，還有一個尿壺。孫雨看著尚之桃紅著臉將那尿壺放到黑色塑膠袋裡，輕聲對她說：「我剛來的時候也買過，不丟人。」

「仲介說另外兩間分別住著兩個剛工作不久的男生，可我沒有見過，有點害怕。」尚之桃解釋道。

「長點心眼是對的，保護好自己也是對的。」孫雨講話腔調柔軟又堅硬，有一點好聽。

兩個人來來回回走了三趟才將東西買完。

菜市場裡有一家牛肉拌麵，濃湯香氣在雨中冒著，兩個人都有點餓，尚之桃請孫雨吃了一碗板麵以答謝她的領路之恩。

就這樣，在搬到這座城市的第二天，尚之桃交到了一個朋友。

孫雨剛剛辭去工作，男朋友又住在很遠的城市另一邊，她就自告奮勇幫尚之桃折騰她的房間，原本簡陋的房間被她們裝扮一新，突然多了一點藝術氣息。孫雨在一邊嘖嘖稱奇：「妳是學藝術的嗎？」

「我不是啊！」尚之桃盤腿坐在床上欣賞自己的傑作，而後點點頭誇自己：「真不錯。」孫雨被她的憨態逗笑了，也坐在她旁邊。

尚之桃身上有淡淡的香氣，整個人乾乾淨淨，像一張還未被寫過字的白紙。孫雨覺得自己好像很久沒有看到過看起來這麼乾淨乖巧的女孩了。

「妳多大啦？」她輕聲問尚之桃。

「我二十二歲啦，妳呢？」

「我二十五歲。那妳來北京是做什麼呢？」

「我藉由校園徵才進了一家公司，下週一就要正式報到啦。」尚之桃講話的時候臉上帶著笑，眼睛彎彎的，可真好看。孫雨點點頭：「公司離這裡近嗎？」

「我還沒去過，但學姐說差不多要八十分鐘能到。」

「那很幸福了，不算太遠。」

在北京工作的人，通勤時間八十分鐘是在平均線上，不算太遠。畢竟這座城市太大了。尚之桃也不覺得遠，她讀書時候每週都要從學校去紫金山，往返四個小時。她經常在公車上看書聽歌，時間很快就會過去，一點都不會痛苦。

她對即將到來的工作和生活充滿期待，也對這座城市充滿期待。她的枕下放著一本手帳，昨晚睡前做了一頁，她在手帳上黏了三張小小的薄到透明的公車車票，是她從火車站到這裡坐過的公車，上面寫著七月十日，北京你好。

到了晚上，她躺在床上聽窗外的雨聲，感覺像回到了南方。她總覺得畢業來得太快，那些慌亂跳下床跑去教室上課的日子一去不復返了。

尚之桃覺得有點孤獨。

她守著床頭那盞昏暗的小燈發呆，周遭靜悄悄的，除了淅淅瀝瀝的雨聲。她仍舊睡不著，於半明半暗之中睜著眼，聽著外面的動靜。

有點想家。

有點想念學校和同學們。

尚之桃鼻子一酸。

尚之桃早早就坐上了公車，城市剛剛甦醒，公車在薄霧之中穿行。她塞著耳塞看外面的街道，生活在這裡的人可真勤勞啊，這麼早，街邊就滿是趕路的人了。

她也是匆匆的趕路人。

她今天穿了一件白色的襯衫連身裙，繫了一條淺棕色的細腰帶，頭髮高高的束起，沒有化妝，卻一派青春無敵。坐在那安靜又乖巧，像傳言中鄰居家的聽話小孩。出眾，又不那麼出眾。

尚之桃從小就是這樣的人，她課業成績只能算中上游，長相也是中上等，因為接近於平庸，即便她謙虛好學卻也只能保持不掉隊，所以尚之桃從小學會自我寬慰，我就是那個路人甲、就是芸芸眾生中不起眼的一員，我又不能上天入地，我對得起自己就好了。

時間久了，她就養成了很好很好的性格。用老師們的話講：尚之桃啊，性格真好，真陽光，品行也端正。再找不出別的話誇她。

所以當她將履歷投向這家國際頂尖的廣告公司時，她並不覺得自己能行。第一輪第二輪，她竟然渾水摸魚過了。第三輪遠端面試，競爭者中有哥倫比亞大學的、香港中文大學的，清華、北京、人民大學的，面試到她這裡，面試官欒念已經很疲憊了。他拿著履歷看到她畢業的學校，眉頭皺了皺，又看她的履歷，眉頭皺得更深。

別人的履歷上是學生會會長、優秀學生代表、國際奧林匹克數學一等獎、某某大學特招生，她呢，生活部部長。旁邊的HR聳聳肩：你懂的，為了避免別人說我們公司搞學校歧視。

「這履歷是妳從招聘網站上隨便下載的？」彼時的欒念是這家公司的創意顧問，監管企劃部。本來他應當進行最終面試，因為他後面的排程臨時調整到提前一輪進行電話面試。

招募HR梁心顯然已經習慣了欒念的風格，笑笑說道：「你面面看。」梁心做了十五年HR，閱人無數。尚之桃能到第三輪，自然有她的長處。

「隨便。」

電話接通，欒念聽到一個帶著笑意的聲音：『妳好。』

「尚之桃，我是Tracy，今天的主面試官是Luke Luan，我們開始吧？」

『好的。』隔著電話，都能感覺到她一定正襟危坐，聲音還微微抖著。欒念已經在心裡掛了她的面試。

梁心看到欒念低頭看手機，知道尚之桃完了，掛在了那聲有點緊張的妳好上。欒念是厲害的，他身邊沒有弱兵，哪怕是校園徵才，他也要挑最好的。尚之桃顯然不是那個最好的。梁心不指望欒念講話了，她問尚之桃：「妳最近有做實習嗎？」

『有的，最近跟同學一起幫一個藝術展做布展設計和接待的工作。』

「布展設計，都包括什麼呢？」

『主視覺設計、場地搭建、活動流程等等。主視覺是我同學在做，其他的是我負責做。』尚之桃聽起來沒那麼緊張了，她好像害羞地笑了笑：『我們是第一次做這麼大的專案，好多東西我都不會。』

「那你們就敢接？」

『就……那個藝術展沒有什麼錢，我們又感興趣……所以……』尚之桃很實在，這也沒什麼好說謊的。就業指導老師說找工作是一個雙向選擇的過程，過度包裝並不好。

梁心笑出聲，這個傻女孩。一旁的欒念已經站起身，顯然覺得這個面試在浪費時間。梁心心中嘆了口氣，目送欒念出門，又繼續面試。遠端面試有錄音，她與尚之桃聊了半個小時，聽她講那個專案的經驗，是實實在在的小經驗，在他們這家公司看來很笨拙，但卻是一個學生靠自己的努力學到的，這是值得注意的。踏實、努力、隨和，是梁心為尚之桃貼的標籤。

面試結束後梁心將面試的錄音寄給了市場部的張嶺：「你不是要招一個腳踏實地的？看看這個符不符合要求，符合的話我約現場面試。」

張嶺看了線上流程，有點為難的對梁心說：「不符合流程吧？Luke 已經掛了她。」

「你別管 Luke，你只管自己聽。」

「好。」

梁心打電話給欒念：「人力資源講求用人多元化，我們公司太多菁英了，大家都浮在空中，誰也不肯下來喝口露水，再這樣下去，團隊會出問題。這屆校園招募，我要招幾個踏實能吃苦不那麼耀眼的年輕人，請你給剛剛的尚之桃放行。」

『妳親戚？』欒念漫不經心地問她：『為了這個平庸之輩，值得嗎？』

「我也不是一開始就能做 HRBP（人力資源業務夥伴），都要學習。」

『那我送妳一個人情。』欒念掛斷電話，順手修改了尚之桃的面試結果。

這些過程尚之桃並不知道，她坐在清晨的公車上憧憬工作，也會困惑自己究竟哪裡好，好到能幹掉哥倫比亞大學、哈佛大學、清華北京的候選人？好到能拿到跟他們一樣的 offer？她沒有盲目自信，而是把這歸結於幸運二字。

下過雨的北京，清早也有些霧氣濛濛，她到得太早了，公司偌大的辦公大樓空無一人。保全為她指了一個等候區坐下，巨大的落地窗，外面是一棵很高的銀杏樹。

時間還早，她將雙肩包放到身旁，筆直地坐在那看外面的風景，耳中塞著耳機，雙手放在膝蓋上。那是二〇一〇年，二〇一〇年的北京，已經很少有女孩是這樣的坐姿了。大多數女孩都會以極其放鬆的狀態坐在那，好像擁有全世界。

她聞到咖啡香，轉過頭去，看到一個身材遒勁、肩膀挺闊的好看男人走過去，男人沒什麼表情，目不斜視，邁著長腿走到門禁前，「滴」一聲刷了進去，消失在電梯間。

尚之桃有點雀躍，姚蓓說全北京最有「腔調」的男人都在凌美，尚之桃還問她什麼是腔調，姚蓓賣關子要她自己體會。尚之桃在人生第一天上班的早上，突然就明白了究竟什麼是腔調。

腔調嗎，大概就是剛剛走過去的男人了。

欒念當然不知道自己剛剛被人定義為有腔調，他們今天有一個大案子，他必須要早到再過一遍。他途經尚之桃時根本沒有注意到她。

他上了樓將咖啡放在桌上，聽到手機響，順手接起，電話那頭一個女人在哭：『我後悔了，我不想分手。我們重新開始好不好？』

「那真是不好意思，我不吃回頭草。」他掛斷電話，順手設置封鎖對方來電，動作快到相當無情又熟練。而後拿起電腦去了會議室。

公司裡很多人怕欒念，他向來不是什麼隨和的人，但大家又願意跟著他，他呢，才二十八歲就坐到這個位置，有天賦，有能力，有努力，當然，也有背景。他日定然前途無量。

尚之桃與其他二十多個同批入職的同事坐在一起，他們面前是一疊厚厚的合約，別人都在認認真真地看，她卻直接翻到最後一頁，簽了。動作很快，快到顯得有些沒腦子。

這有什麼可看的？能來就不錯了。尚之桃就是這麼感激凌美，世界頂尖的廣告公司願意給自己這個機會，這本身就很酷了啊！

梁心看到她簽完放下筆坐在那，心想這個女生對公司的忠誠度可真高。但她不動聲色，坐在那裡打字，助手耐心解答別人各種合約問題，經過一個小時終於搞定了。

凌美對社會新鮮人實施輪崗制，每個崗位輪崗三個月，如果在某一個輪崗期內確認留在某一部門，就提前結束輪崗。尚之桃的第一站就是市場部。

市場部來接人的女生叫盧米，長腿細腰，十分妖嬈。尚之桃跟在她身後，聞到她身上散發的香氣。

「住哪啊？」盧米漫不經心地問她，眼掃過她白到發光的腿，還有人這麼白？

「住在北五環。」

「好傢伙，可真遠。」

市場部在十五樓靠邊的位置，緊靠著企劃部。盧米帶尚之桃到張嶺那報到，門開了，尚之桃一眼看到了清早看到過的有腔調的男人坐在沙發上。男人抬頭淡淡看她一眼，又低下頭。

「Alex，尚之桃來了。」

張嶺從辦公桌前站起來迎接她，朝她伸出手：「歡迎妳啊尚之桃。」他的熱情搞得尚之桃有點無措，盧米在一旁笑出聲：「今天第一天還不習慣吧？我們 Alex 老闆就是這麼熱情。」

「您好。」

「別您，我們公司的文化互稱英文名。」張嶺指指欒念：「這是 Luke，企劃部負責人。」

「Luke 好。」尚之桃轉向欒念朝他笑笑。

欒念又抬眸看了尚之桃一眼，淡淡地問張嶺：「Tracy 開綠燈的那個？」

張嶺點頭，也不跟尚之桃解釋，指著盧米說：「這是妳的導師，妳的工作由她分配。工作中遇到什麼問題隨時找她，找我也行。今天中午部門迎新聚餐，帶妳認識同事們。」

「謝謝 Alex。」

欒念闔上電腦從沙發上站起身，對張嶺說：「那就這麼辦，看場地時叫我一聲。」

他繞過沙發，尚之桃忙後退一步讓路給他。也說不清為什麼，她有點怕他。欒念經過她，影子在她身上罩了一下，轉眼就不見了。

盧米察覺到尚之桃的緊張，小聲對她說：「別說妳了，我都來兩年了，也怕他。走吧，開始妳職場第一天吧！」

尚之桃跟在盧米身後參觀公司，與她想像的十分不同。凌美整個辦公環境十分有藝術氣息，辦公區裡有閱讀室、膠囊休息區、健身房、茶水間裡有現磨咖啡、還有自己的員工餐廳。

「凌美的企業文化十分開放，工作時間彈性，只要妳完成工作，哪怕躺在家裡也沒人管妳。」盧米頓了頓，輕咳一聲：「這是導師話術，事實上我們他媽的每天都要加班。七八點下班算早的。」

尚之桃聞言噗哧笑了，她笑起來像一隻小貓，特別可愛。盧米嘖嘖一聲：「希望妳過兩天還能笑出來。」

兩個人參觀完公司，朝辦公區走，盧米指著一排透明辦公室：「那邊都是老闆的辦公室。最旁邊那間妳最好繞著走，那是 Luke 的辦公室。搞創意的人脾氣都挺怪的。」

「搞創意？」尚之桃終於插上嘴。

「拜託，我們是世界頂尖的廣告公司，當然要有搞創意的人了。這幾年妳在國內看到我們公司的爆紅作品，都是他的團隊做的。」

「哦。」

尚之桃跟著盧米來到她的工位，她的工位很大，旁邊的同事都不在，盧米說他們過幾天有發布會，大家都去現場了。她的辦公電腦已經送到了工位，一個桌上型電腦，一個筆記型電腦用於移動辦公。她站起身讓出位置給ＩＴ裝電腦，順道打量辦公區，眼睛掃過欒念的辦公室，看到他正站在窗前講電話，身姿筆挺，polo 衫熨貼在身上，哪怕只是背影，看起來也有十分腔調。

他的背影可比他正臉和氣多了。

欒念似乎察覺到有人在看他，突然回過頭，隔著辦公室的透明玻璃逮到了來不及移開目光的尚之桃。

尚之桃的臉騰地紅了，說不清為什麼。

她迅速低下頭假裝她沒有偷看他，輕聲問ＩＴ：「請問我的電腦組裝好了嗎？」

「裝好了，妳試試。」

尚之桃慌忙坐在椅子上，將身子窩在工位裡。她不是故意偷看他的，她第一天上班，對什麼都好奇，剛剛只是在他背影上停留幾秒而已。她不知道自己這樣算不算不禮貌，將身子坐得低了些，打開電腦開始登記入職資料、查看公司網路安全說明，還有兩節線上必修課今天也要看完。

欒念被女人看習慣了，並不覺得尚之桃那一眼有什麼奇怪，只是她後面的表現太過心虛，令欒念覺得她剛剛似乎是在視奸他。

『怎麼？』電話那頭的人在問他。

「沒事。」欒念回了一句，而後問道：「部門的迎新會定在哪了？地址給我。」

『好。』

欒念一般不會參加部門聚餐，迎新會除外，倒也不是他自願的，而是公司強制要求的。Tracy 說這是企業文化，管理者必須尊重企業文化。

欒念處理完工作拿著車鑰匙離開走出辦公室，迎面看到那個新人跟在盧米身後。

「Luke 好。」

「好。」欒念點點頭，掃了跟在盧米後面的尚之桃一眼。

尚之桃想起剛剛的尷尬，又紅了臉。

年輕的新人，愛臉紅的新人。欒念突然對公司有點失望，再這樣下去，該去勞動市場批發員工了吧？他也只是這樣想，與他們一起走到電梯間，進了電梯。

寬敞的電梯裡，那面透明鏡子清晰地映出三個人的影像，盧米有點為了展示導師的風采，決定打破這種尷尬：「您去哪啊？」她一個北京女生，一張口有種遊手好閒的感覺，別提多有喜感。尚之桃緊抿著嘴不讓自己笑出聲。

「清宴。」

「真巧，我們也去。」盧米在那面電梯鏡裡朝欒念笑笑，欒念討厭這種無聊應酬，收了聲不接話。盧米的導師面子摔得粉碎，偷偷瞪了欒念一眼。

出了電梯間各自去尋車，上了車才對尚之桃說：「他就這樣，大家都怕他。」

「看出來了。」尚之桃將自己的手攤開給盧米看：「都讓我嚇出冷汗了。我想起來了，我跟他打過交道，他是我三面的面試官，但他一句話都沒有說。」

「我靠，那他面什麼呢？」

尚之桃搖搖頭：「我不清楚哇。」兩個人說著話，一輛車從面前疾馳而去，車上人影一閃而過。盧米聳聳肩：「雖說這哥們跟個面癱似的，人是真他媽像樣。」

尚之桃終於忍不住大笑出聲。

等他們到的時候同事們早已到齊了。

「來，新人尚之桃，英文名 Flora。」張嶺站起身介紹尚之桃：「跟著 Lumi 學藝，大家多照顧。」

尚之桃朝大家鞠躬：「拜託前輩們。」

市場部的男男女女可真好看，尚之桃想：這大概就是凌美的用人標準了，我可真是太幸運了。

她坐在盧米身邊，在大家自我介紹的時候認認真真記同事的名字。市場部的同事們常年做空中飛人，聚在一起不容易，做市場的人性格也都外向，於是就格外熱鬧。

到了尚之桃，她想了想說道：「我會好好努力的。」憋了半天也沒講出什麼花哨的話，就是這樣實實在在的人。大家平時見慣了會說一口漂亮話的人，冷不防見到這樣的同事，都覺得有點新鮮。

張嶺也沒什麼架子，跟著同事們一起講冷笑話，還對尚之桃說：「一入廣告深似海，妳也想好。」

「那天下班坐計程車，司機大哥問我：幹廣告的吧？您怎麼知道啊？深夜坐車三種人，妓女、嫖客、廣告人啊！」一個叫秦小小的女孩子說道。

大家哄笑出聲，張嶺對尚之桃說：「如果有男朋友就珍惜，沒有男朋友，想找就困難了。妳看看這一桌，沒什麼正經人。」

尚之桃忙說道：「我看大家都挺正經的。」透著甫入社會的淳樸和天真。

一頓飯下來，尚之桃將同事們的名字默默背了下來。她像一隻不小心掉到地上飛不起來的驚恐的小麻雀，對一切都陌生和恐慌。

陌生的城市，陌生的人，她孤身一人奮戰，多少有一腔孤勇的悲壯。

看起來大大咧咧的盧米察覺到了尚之桃的小心翼翼，在回公司時對她說：「我跟妳說，妳別太謙虛，公司裡多的是挑軟柿子捏的傻子。妳越謙虛他們越欺負妳，回頭什麼髒活累活都往妳這丟，夠妳受的。」

「好的。那……」

盧米打斷她：「不管誰派活給妳妳都讓對方先找我。我是妳導師，妳幹什麼我說了算。」

「好的，謝謝妳 Lumi。」

「謝什麼。」

盧米風風火火，到了公司將一個壓縮檔寄給尚之桃：「來吧，看吧，這是我們下半年要管的項目。首先妳要將每一個項目了解清楚，不然我們不好管預算。」盧米停下來，拿出一個表格遞給尚之桃：「喏，找這些主管了解項目的時候，順便把員工訪談做了。」

員工訪談是新員工入職要交的作業，就是要採訪幾個公司的主管或前輩，了解企業文化、部門結構，充分融入公司。

「都是企劃部的項目嗎？」尚之桃翻著檔案，看到立項部門都寫著企劃部。

「可不？企劃部難搞，他們就把企劃部丟給了我，因為我臉皮厚。」

「那我要找 Luke 嗎？」

「妳去找找看，反正以後也要打交道。」

尚之桃想起欒念那張臉有些微害怕，盧米敲她頭：「妳怕什麼？他能吃了妳不成？妳現在就去找他，他講工作的時候很認真的，應該不會為難妳。」

「哦。」

尚之桃抱著電腦去欒念的辦公室，她站在門口長舒一口氣，而後才緩緩敲門。

「進。」

尚之桃推門進去站在門口，站在午後的陽光裡，像一朵含苞待放的小花。欒念抬起頭看她：「有事？」

「您好，我們今天見過了。我是市場部的新人尚之桃。剛剛Lumi將我們部門的幾個專案資料寄給了我，有幾個問題需要向您請教。」尚之桃進門前打好了腹稿，一鼓作氣講完話，而後站在那裡等欒念回話。

欒念認真看她一眼，終於發現了這女孩身上有一個特質：她看起來很謙卑。凌美幾乎沒有這樣謙卑的人。

「著急嗎？」

「不是特別急。」

尚之桃犯了錯誤，職場上的人，自己手頭的東西永遠最著急。欒念部門的人，無論去哪都要拔個頭籌。

著急嗎？

特別急，耽誤了後面不好推進，對公司影響很大，現在就要解決。

欒念點點頭，手指向辦公室裡的長沙發：「既然不急，那妳等我一下？」

「好的。」

尚之桃端坐在沙發上等欒念，她以為等三五分鐘足矣，於是就那樣等著。三分鐘過去了，五分鐘過去了，十五分鐘過去了，欒念沒有從電腦上抬頭的意思。尚之桃幾次想張口，可話到嘴邊又嚥下去。

她覺得那樣不禮貌。

尚之桃不急，欒念自然也不急，他安心處理手頭的工作，也在等尚之桃開口。他不是為了為難她，單純是想看看她的事究竟有多不著急，對自己手頭工作的重要程度究竟是怎麼判斷的。

那尚之桃也不急了，她下午的作業就是搞清楚這些項目。索性打開電腦認真看起資料。她將資料看了一遍，抬腕看了時間一眼，四十分鐘過去了。這有點超出她的判斷。於是抬起眼看他，可他沒有結束的意思。

她想打斷他，卻無法張口。

終於，當他再抬眼時，撞上了尚之桃欲語還休的模樣。他裝作沒看見，又低下頭。

尚之桃看他的姿態，以為他手頭的工作非常重要。於是又安安靜靜等了很久。

欒念的工作完成了，他拿起手機回訊息，又瞄了她一眼。她正看著他，眼裡裝滿真誠，在他看她這一眼之時速速開口：「您忙完啦？」

這句開口的時機尚之桃不知道等了多久，終於沒再錯過。

欒念站起身走到她對面坐下：「什麼事？」

尚之桃第一次離欒念這麼近，欒念非常嚴肅，行動又極其迅速。從辦公桌到沙發這幾步，能看出俐落。尚之桃看到他的眼睛，那是有別於二十歲少年的眼睛，那眼神無比自信和犀利，彷彿全世界都在他手上。

他問什麼事，好像忘記了尚之桃剛進門講過的話。她愣了愣，又講了一遍來意。

欒念突然笑了，他笑的時候眼睛微微瞇著，像一隻狐狸：「現在著急嗎？」

「什麼？」

「妳的事不是不急？」欒念提醒她。

尚之桃微微紅了臉，她不知道應該怎麼回答急與不急。如果她說急，欒念會問她為什麼最開始說不急？如果她說不急，欒念很有可能會站起身回到辦公桌前繼續工作。

她突然意識到，雖然也很有可能是她想多了，欒念或許是在教她。

她清了清嗓子，認真地說：「Luke 我知道了，下次我有事會直接說。急或不急也會直接說。謝謝您教我。」

欒念眉頭揚起，臉上寫著「我？教妳？妳沒事吧」的神情。

尚之桃卻點頭：「是的，感謝您。我學到了。」

欒念不想與尚之桃廢話，簡短說道：「直奔主題吧。」他就是這樣的人，簡約、迅捷、高效，不願浪費時間，也從不拖泥帶水。

尚之桃點頭，而後說道：「我正在學習企劃部的項目，有一些地方不懂，想請教您。順便……想請您做我員工訪談的對象。」她正襟危坐，像讀書時候認真聽講的學生。她坐的姿態很少見，也帶著謙卑。

「哪裡不懂？」

盧米說得對，欒念不會因為工作去為難人，他很認真。尚之桃很多地方不懂，乾脆翻開筆電：「我一個項目一個項目請教您好嗎？」

「好。」

欒念前傾著身子聽她講話，他發現這個女孩挺逗，她一點都不藏拙，那點愚鈍都寫在臉上，看起來就不是特別聰明的人。所以 Tracy 是她的什麼人？

「是這樣的，這個專案，需要的 demo 製作支出，我想問問您都包括什麼……」尚之桃將筆電螢幕對著欒念，指尖點在一個地方。螢幕的光透過她瑩白的指尖，為其鍍上一點粉意。她抬起眼看欒念，看到他的好皮囊。

「demo 清單明天會給。」欒念的眼神還停留在螢幕上，去看尚之桃做的其他標記。尚之桃並非一無是處，至少她做的紀錄都寫在重點上。

「哦，謝謝。」

「那這個專案，為什麼需要提前支出？」尚之桃將文件檔案翻到下一頁。

「供應商不墊款。」

「可是公司要求付款流程不是這樣的……」

欒念拿過她的電腦，翻到一頁，乾淨的手指在螢幕上點了點，尚之桃看到頁面上寫著如遇特殊情況，可申請特批付款流程。

尚之桃紅了臉：「對不起，我剛剛沒看到。」

「沒事，下次看仔細。」

Lumi說欒念講工作的時候很認真，Lumi果不欺我。至少到現在為止很順利。

欒念的電話響了，他接起，電話聲音不小，尚之桃聽到對面有個女人在哭，而後好像在說不想分手幾個字。哇，哭成這樣，這分手不體面啊。尚之桃的想法都在她臉上，可她轉念一想，不對，這是老闆的私生活。頓時有了窘意。

欒念看到她臉上頗有些豐富的神態變化，眉頭皺了，說道：「別再換電話打給我。」他掛斷電話，看向尚之桃，她呢，坐在那裡，眼睛不知道該看向哪裡。

她不是有意去探聽他的私生活，可有些事就是這麼湊巧。

「妳還有問題嗎？」欒念無視她的侷促，這與他沒有什麼關係，他沒有義務幫她緩解尷尬，即便這尷尬是因他而起的。

「我想看一下這些項目的具體簡介，不是因為要驗收，純粹是因為我什麼都不懂。」

「我等等讓祕書寄給妳。」

「那我還想做員工訪談。」尚之桃笨拙，但她也有很好的品格，那就是堅韌。對她來說，很多事在沒做之前她會害怕，可一旦開始做了，她就不想放棄。

「做。」欒念還是那樣坐著的姿勢，身子前傾，腿分開，手肘支在膝蓋上，雙手叉在一起，好像對跟尚之桃的談話很感興趣。尚之桃那時並不懂，這只是一種職場上的姿態，老闆們常有的姿態，看起來和善可親，其實欒念心裡已經在咒罵尚之桃的無趣了。

「您為什麼要來到這家公司？」

「我爸託關係把我弄進來的。」欒念這人嚴肅，他講什麼都像真的，包括這句。

這答案在尚之桃意料之外，她仔細看欒念的神情，想分辨他是玩笑還是認真，可她看不出來。

「凌美有哪些特質令您覺得很棒？」

「給的錢多。」

「這倒是。凌美比別的公司大方。」尚之桃點頭，高度認同欒念的答案，不然以她的資歷是拿不到這樣的薪酬的。

「那您喜歡這份工作嗎？」

「不喜歡。」

尚之桃卡在這，她再一次想知道欒念是逗她的還是認真的。可欒念就是欒念，他嚴肅的時候，就是一張死人臉。妳想從死人臉上看真假？做夢。只是到了此刻，尚之桃不知道該怎麼訪談下去了。

欒念也不催她，卻抬腕看了手錶一眼。

在趕人了，這下尚之桃看出來了。慌忙問道：「不喜歡您為什麼在這家公司工作？」

「賺錢揮霍。」

「那您可以給我一些建議嗎？」

「妳確定要我的建議？」欒念揚起眉問她。

「我確定。」尚之桃點頭。

「盡快找下一份工作，凌美不適合妳。」欒念停下來，很認真的說：「這是我對妳的忠告。」

尚之桃不知道別人的員工訪談都會有什麼樣的答案，但她得到的答案令她難堪。她也說不出我一定能行的話，事實上她自己都不知道自己行不行。只是這一刻有點令人難堪，她緊抿著嘴唇，眼睛微微紅了。嘴唇緊抿著，生怕自己哭出來。

是在幾年後的一天，尚之桃才意識到，她與欒念，其實從一開始就注定好了，他高高在上，對一切滿不在乎。她跟在他身邊亦步亦趨，不停從他身上學習。施與受，教與學，從來都是不平等的。

欒念並不意外她的反應，他遠程面試她，她只開口講了句「你好」他就決定掛了她的面試，並非他武斷，而是因為廣告行業要的是見過世面又豁得出去的人。

「還有問題嗎？」欒念又問她。

「有。」

「問。」

「為什麼您覺得我不適合這裡？」

「大概就是因為妳在這個時候還要問原因？」欒念站起身：「剛剛說的 demo 清單明天會寄給你們。」

尚之桃收拾自己的資料和電腦，察覺到欒念對她的注視，便站直身子，有一點倔強的姿態。卻還是很有禮貌：「好的，謝謝。」

尚之桃不敢看他。她覺得欒念的眼睛裡寫滿：妳不行。只要他眨眼，這三個字就會從他眼睛裡跳出來，然後明晃晃掛在她頭頂。她強裝鎮定走出他的辦公室，回到工位上。盧米已經走了，留了張便條紙在她桌上：「早點回家，後面加班的時候多著呢！」

尚之桃不會回家的，她打開電腦寫訪談回饋。她很誠實，一句假話都沒有講。尤其是那句：「Luke 勸我盡快找工作，他說我不適合這裡。」寫完點了確定。

她並不是在與權威叫板，甚至並不知道訪談紀錄除了HR和導師看，也會到直屬上司和被訪談者那裡。她只是想誠實，這是她到凌美的第一天，她沒辦法編出邏輯連貫、字詞和諧的假訪談紀錄。

欒念正要收拾東西走人，看到系統彈出的提示，打開來看到尚之桃寫的內容。

她是真沒腦子。

Tracy 的電話很快就進來：『你跟新人說你工作是為了賺錢揮霍？』

「不然呢？」

『你勸新人辭職？』

「嗯哼。」

『……』Tracy 知道欒念什麼德行，她嘆了口氣：『你知道你的任命快要下來了嗎？』

「我任命下不下來，跟我接受訪談有關係嗎？」

『沒有直接關係，可你要尊重用人的多元化。』

「我尊重用人的多元化跟我覺得她不行有關係嗎？」

沒辦法聊了，Tracy 被欒念噎得說不出話，她靜了兩秒：『如果不是因為你是我學弟，我真想一狀告到董事會那裡讓他們開除你。』

「您請。」

欒念掛斷電話又看了尚之桃寫的回饋一眼，被她氣笑了。

第二章　異鄉孤獨

工作的第一天幾乎一切順心，除了欒念勸她換工作。可尚之桃是誰？是那個從小練就了好心態的人，鬱悶情緒很快就消散了，只是默默給欒念貼上了「不好惹」、「怪人」、「有點討厭」的標籤。她暗自想，哼，我就不辭職。

尚之桃回家的時候已近深夜，社區一片幽暗。身後有行李箱輪子劃過地面而起的聲音，那聲音一直跟著她，有點像恐怖片。

她撒腿就跑，跑進黑暗的樓梯間，一鼓作氣跑上樓，衝進自己的房間鎖上房門。剛脫下連身裙換上睡衣，就聽到房門「呀」一聲響，她嚇得一激靈。而後聽到行李箱的輪子在屋裡發出一聲輕微的響動，再沒有其他動靜。

是素未謀面的室友中的一個。

尚之桃等了一下，確認他不會洗漱，就穿上寬大T恤去了浴室，洗澡動作之速，令她自己驚嘆。等她躺在床上時，那個房間的門開了，她聽到有人走進了浴室。

第二天一早睜眼，拿著小盆推開門，看到斜對門的門也開了。一個瘦高男孩，尚之桃沒戴隱形眼鏡，看不清他的長相。但還是禮貌朝他笑笑。

「妳去洗手間吧，我去廚房。」男孩輕聲說道，轉身去了廚房，把洗手間讓給尚之桃，也不等她道謝。

等尚之桃收拾妥當背起包出門，又遇到了他。這次終於看清了，一個書卷氣很濃的男生，看起來比 Luke 和氣多了。

Luke？尚之桃被自己嚇了一跳，大清早就想起那個瘟神？

「上班嗎？」男生朝她笑笑，主動與她講話。

「是啊。你也這麼早嗎？」

「對。想去公司跑一下步。」尚之桃看了男生的雙肩包一眼，上面印著他們公司的 Logo，哇，那可真是一家好公司。男孩察覺到她的目光，靦腆地笑了：「我們公司也沒那麼好，經常加班、出差，很辛苦。妳呢？在什麼公司工作？」

「凌美。」

「凌美……我們公司好多廣告都是凌美出的創意。」

尚之桃也有些害羞：「但那都不是我做的。」是 Luke 那個瘟神做的。

她看起來真誠又憨直，惹男孩偷偷望她一眼。安靜來得很突然，兩人一直走到公車站，站在清晨的細雨中等公車。

「我叫孫遠翥。妳呢？」

「猛志逸四海，騫翮思遠翥的遠翥嗎？」尚之桃笑著問他。

「妳竟然知道？」

「我爸教我背過。我叫尚之桃。」

尚之桃講完跳上公車，坐在靠窗的位子上朝孫遠翥擺手，與他再見。

在尚之桃還小的時候，老尚也是費了點心思的，朝著將自己的女兒培養成文學巨匠的目標，每天教尚之桃背詩，讓她讀書。尚之桃詩照背，書照讀，慢慢卻變成那個只能扶起一半的小阿斗。沒有天分啊……老尚偷偷對大翟說。

又是搖搖晃晃的公車，她翻出書來看。年輕人精力旺盛，哪怕只睡了五個小時，仍能在清晨看起來清爽。她拿著一冊薄薄的商務英語來看。是在昨天簽合約時聽到同批的其他人夾雜著英文對話，有些詞她要反應很久才能想起什麼意思。突然間就覺得自己與他們相差甚遠，於是到家翻出了工具書。

有些事情真的很奇怪。

讀書時候就是那一方天地，自己做那個中上游，從沒有危機感。工作才一天，危機感就找上門來。尚之桃說不清為什麼，大概是欒念那句「我勸妳換一份工作」給她的觸動太大。

公車上看書的效率奇高，她複習了三十多個單字，又看了一篇英文詩，結束時恰好到站。漫長的公車時光一點也不無聊，甚至還有收穫。

她將書塞進背包，跳下公車。身上的杏色衣裙隨動作飄忽一下，頓時就有了幾分少年的翩躚神采。快步流星向公司走去，趕在電梯門關上時靈巧鑽進電梯。

抬眸時看到欒念，他好像並不意外見到她。笨鳥要先飛，如果笨，還不肯努力，那真是過不了試用期。欒念皮笑肉不笑逗她一句：「人事還沒上班。」

「嗯？」他一句話堵住了尚之桃原本的問早，眼裡盡是大大小小的問號。

「交辭職報告不用這麼早。」欒念料她不懂，補了一句，電梯「叮」一聲開了，長腿繞過尚之桃，朝辦公室走去。他嘴角掛著一抹笑，看不出是玩笑還是在嘲諷，但那神情都給人壓迫感。

幹。

尚之桃心裡學臺灣電影裡的口吻罵了一句。睜眼時幫自己打的氣被欒念兩句話抽乾了，突然有點沮喪。默不作聲跟在他身後，又默默走到自己的工位。別的新人會接連兩天被高級主管勸退嗎？

放眼望去，工位一片安靜。她不到八點就到了，這個時間公司大部分的人還在睡夢中。她翻出第二天的作業來看，是行業通識手冊，講一些行業術語。

那些術語晦澀難懂，尚之桃要邊查閱資料邊理解才能略懂皮毛。等她將手冊翻到一半，終於陸續有同事來。同批的 Kitty 看到尚之桃有點驚訝：「妳好早啊！」

「今天的資料我有點看不懂，所以早點來。」尚之桃指指手中的資料。

「今天的行業通識嗎？」Kitty 問她。

「是啊。」

尚之桃講完這句是啊，看到 Kitty 奇怪的神情，突然意識到這些對他們來講，應該是舊識了。但她很坦蕩，承認自己不懂那並不丟人，臉卻微微紅了。

Kitty 的優越感更勝了些。職場並不單純，有很多人在入職第一天便將公司的人際關係摸得很透，自然知道企劃部的新人未來更有前途，市場部雖然管預算，但那僅是少部分人。大部分人還是要去跑會場，做執行。用 Kitty 導師的話講：食物鏈底端。

尚之桃並不知道 Kitty 內心對她的輕視，她一心放在手冊上，想盡快將這些東西搞懂。甚至 Lumi 到的時候她都沒有發覺。

Lumi 將一杯咖啡放到她桌子上，大大咧咧來一句：「您喝咖啡。」

尚之桃嚇一跳，慌忙站起來，被 Lumi 一把按在椅子上：「入職第二天喝導師咖啡的，妳算第一個了啊！」北京女生嗓門大，又講玩笑話，這句格外有喜感，惹得大家笑著站起身看她們。

Lumi 卻不當回事，對尚之桃說：「就這樣啊，繼續保持。改改我們公司的風氣，雖然我也想嘗嘗我小徒弟的咖啡，但一想到我們不世俗，我也挺高興。」Lumi 是在逗她。她可沒那麼多講究，別的導師喝著徒弟的咖啡，背地裡吐槽徒弟愚蠢，她可幹不出這種事。她很喜歡自己這個蠢笨蠢笨的徒弟，傻乎乎的，讓人看著就高興。

尚之桃嘿嘿一笑：「謝謝 Lumi。」心裡卻曉得了，公司文化呢，導師一定要尊敬。就像古時拜師，也講究焚香敬茶磕頭，一日為師終身為父，大概是這個道理。

尚之桃記得咖啡的事，第二天一早下了公車就直接去了咖啡店。她從前沒有喝咖啡的習慣，讀書時也只是在考試時臨時抱佛腳喝幾包即溶咖啡提神。她的想法很簡單，要讓自己的導師喝到自己買的咖啡，讓她在眾人面前抬得起頭。

她剛付了錢，站在那裡等，站得筆直筆直，讓周遭放鬆的氣氛多了一點正式。

店員喚她：「您的咖啡好了。」

「謝謝。」她側過身去拿咖啡，看到了站在收銀臺前的欒念。她有點慌神，忙說：「Luke早。」都想不起請老闆喝一杯咖啡。

「早。」欒念回了一句不再講話，尚之桃有點尷尬，也有點害怕，丟下一句：「Luke再見。」

轉身跑了。

連請欒念喝杯咖啡的情商都沒有。

真的傻透了。

今天是新人培訓日。

尚之桃坐在培訓教室裡看新人培訓宣傳片。她以為她會看到令人振奮的公司發展史，卻忘記了她是在凌美工作。凌美從來不屑於振奮人心，他們更願意講血淋淋的現實。

凌美的新人培訓宣傳片在最後一 part 將凌美近十年來校園徵才的淘汰比例列了出來，讓人看得觸目驚心。最後還有一行字：「如果你覺得自己不行，那並不丟人。站起身，走出培訓教室，你仍能得到兩個月薪水的賠償。」

尚之桃想起欒念勸她辭職，此時甚至覺得欒念是為她好了。

宣傳片播完了，培訓教室一片寂靜。

Tracy 朝大家笑笑：「這麼凝重倒是不至於，今天的第二個分享有幸請到公司創意顧問、企劃部負責人 Luke。Luke 雖然剛剛二十八歲，但他二十二歲就斬獲國際廣告片大獎，被業內譽為創意天才。接下來掌聲歡迎 Luke。」

什麼狗屁介紹？欒念皺著的眉頭寫著對 Tracy 濫俗介紹的不滿。

他可真不是好脾氣的人。

尚之桃坐在最後一排看他，心想 Lumi 講得對，以後還是要離他遠一些。可他講的內容可真好。他講凌美的創意原則：簡約、高級、溫度、審美，他的 PPT 也深刻踐行凌美的原則，每一頁都絕美。

聽他講這些，簡直是天大的享受。

他又乾脆俐落，四十分鐘的分享沒有一句廢話，講完了被 Tracy 留在前臺答疑。Kitty 的手舉得最快：「請問 Luke 是單身嗎？」

大家笑出聲，欒念像沒聽見一樣，面無表情說道：「下一個問題。」他最討厭在這樣的場合開不合時宜的玩笑，浪費所有人的時間，等同於謀財害命。

「那請問公司允許內部同事談戀愛嗎？」另一個同事問。

「公司不禁止員工戀愛，但有兩個原則：不是上下級關係、不在利益相關部門。」Tracy回答這個問題，然後啟發大家：「難道大家就沒有專業的問題要問Luke嗎？機會難得。」

大家都安靜下來。

尚之桃倒是有很多問題，可她不敢問欒念。怕他當眾勸自己離職，那簡直太難堪了。於是低下頭在本子上標記出來，想著回去問盧米。

欒念看著臺下坐著的人，突然對這批新人有點失望，連個有鋒芒的都沒有，最膽小的那個快把頭埋進膝蓋了。朝Tracy聳聳肩，轉身走出了培訓教室。

尚之桃那時並不知道工作大概就是這樣，如果妳錯過了最佳的提問時機，再等就很難了。等她結束了培訓回到工位，Lumi已經去會場了。她坐在工位上繼續啃上午沒啃完的行業通識，手邊的紙寫著密密麻麻的字。

尚之桃有一個優點。

她寫了一手好字。

她讀小學時冰城突然颳起一股學寫字的風氣，放了學的孩子們背著書包排著隊去學寫字，毛筆字、硬筆書法，尚之桃這輩子學的唯一一個才藝班就是寫字。她學寫字比別人有韌性，等到國中時，寫字風停了，大家都不學了，她放學還會去老師家裡寫字帖。

所以她的字真的出眾。

一筆一畫，都有風采。哪怕是隨便在紙上亂寫，也帶著美感。她用一手好字去寫行業通識的筆記，做得認認真真，甚至忘記了吃飯。等她將知識理解了一遍，抬起頭，才看到月上西天。她抬起腕看時間，晚上十點半，如果快一點，還能趕上末班公車。

她騰地站起身背起背包向外跑，像一陣風一樣消失在辦公室。直到上了公車，腦子裡還是那些晦澀難懂的名詞。ATL、BTL、AE、brief、PR……很多詞在書本裡見過，老師也講過，可真放在工作中又是另外一回事。尚之桃想起 Kitty，她真的什麼都懂，像太陽一樣發光。

工作的第一週，尚之桃的頭腦中塞滿了知識，這樣的學習效率遠遠高於在學校裡學習。她覺得一切都好，除了欒念。Lumi 把與欒念對接的活甩給了她，尚之桃推託自己不行。卻被 Lumi 打斷：「可千萬不能說自己不行，尤其在 Luke 面前。當心他聽到當天就找 HR 幫妳辦離職手續。」

「而且妳要這樣想，連 Luke 這樣的老闆妳都能搞定。他日還有什麼牛鬼蛇神是妳搞不定的？對嗎？」Lumi 洗腦尚之桃，她做為一個拆二代，在北京四九城裡橫行，工作無非就是為了有點事幹，如果能不用看欒念的臭臉，那簡直太好了。

「那您是怎麼搞定Luke的？」尚之桃真心求教。

Lumi噗哧笑了：「我可沒搞定他，所以妳上吧！妳等等啊，我先讓上頭跟他打個招呼，然後妳再上。」

「……」

尚之桃戰戰兢兢，在內部聊天軟體上傳了一則訊息給欒念：『Luke您好，因為我的導師Lumi最近要跟廣州深圳城市聯動的案子，所以讓我來負責企劃部那幾個即將結束的專案的收尾工作。請您多指教。』

她抬起頭偷偷看了欒念辦公室一眼，他正坐在電腦前。尚之桃的手心滲出細汗，過了很久，欒念的頭貼亮起，他只說了兩個字：『換人。』

真是不出意料。

尚之桃在工作第一週的週五晚上遇到了難題。要求換人還怎麼繼續？她打給Lumi，可Lumi已經身在夜店，在電話裡對她喊：『嗨，姐妹！我在過週末！天塌了也週一見吧您！』

「可那個名字……」尚之桃話還沒講完，Lumi電話已經掛斷了，可名字還沒簽，財務在催。尚之桃獨自說完這句，哀號一聲趴在辦公桌上。過了很久才鼓足勇氣站起身，拿著資料夾去找欒念。他祕書下班了，尚之桃沒辦法讓祕書傳話，只能自己硬上。

如果他拒絕簽名，我就把資料夾放到他桌上說我不管了！

如果他再讓我辭職，我就說你又不是我老闆！

天真的尚之桃在心裡寫好了所有與欒念鬥爭的腳本，帶著赴死的決心叩響了他辦公室的門。聽到他低沉一聲：「進。」

尚之桃推門而入，她自認這個動作帶著幾分迫人的氣勢。卻在進門後看到欒念滿面晴朗在與人講電話，見尚之桃拿著資料夾，便指指桌子，讓她將資料夾放下。

她的氣勢頓時萎靡下去，卻還在心裡敲著小鼓，一旦他開戰，她就擂起戰鼓。她那點小心思都寫在臉上，在欒念看來跟弱智一樣。

但他朝尚之桃笑了一下，不痛不癢的笑，一根手指豎在唇前，做了個噓的動作。

尚之桃一頭霧水，走過去將資料夾放下，聽到他輕聲細語的說：「那就賞個臉週末一起吃飯，上次妳說想看的音樂會，我找人搞了兩張票。」

他一手拿著電話，一手打開資料夾，從第一頁開始看。

電話那頭傳來女人清脆好聽的笑聲：『我被你特殊對待了嗎？』

「是我的榮幸。」欒念一邊與她講電話一邊看文件，絲毫不理會站在那裡的尚之桃。

尚之桃有些尷尬，上次是分手，這次是約會。呦，真是屋漏偏逢連夜雨，他剛說換人，自己就撞他槍口上了。她覺得自己無意間聽到欒念太多祕密，再這樣下去，他肯定不會容下她了。於是伸手在他面前晃了一遭，指了指門，意思是：我出去？

欒念眼神幽幽看她一眼，不說行也不說不行，尚之桃只得站在那聽他講電話。他該死的手指翻文件的速度太慢，令尚之桃覺得度日如年。她看向窗外，對面的辦公大樓燈光滅了一半，又低頭偷偷看錶，末班車走了，今天要享受公司的計程車福利了。

「那我明天傍晚去接妳，我訂了餐廳，我們先吃飯。」欒念終於掛斷了電話，開始認真看專案文件。他看文件，又不講話，令尚之桃覺得難熬。

然而最煎熬的不是這個，而是面前的欒念，他遲遲不簽名，好像第一次看那文件一樣。終於看到最後一頁簽名的地方，尚之桃心中有一絲雀躍，卻聽到欒念問：「這個項目的總支出是多少？」

「七十四萬。」

「精確到小數點後兩位。」

尚之桃愣了愣，她不知道小數點後兩位是多少，她只是幫 Lumi 找欒念來簽個名，在進門前看了文件和金額，卻沒認真記小數點後兩位。

「七十四點一三萬。」欒念坐到椅子上：「下次找人溝通工作以前，尤其是我，確保所有細節妳都看清楚了，否則就換人。」

下次？那這次不換了嗎？

尚之桃突然覺得這個人性格真的太奇怪了，剛剛溝通軟體上打出換人二字的人不是他？有人操控他的電腦？

尚之桃的心思都寫在臉上，欒念一眼就能看懂。蠢到無藥可救，張嶺和 Tracy 瘋了嗎？他們是怕團隊跑得太快，所以招了這個累贅嗎？

他揮筆簽上自己的名字，將資料夾遞給尚之桃。

她接過，認真說道：「那就拜託您了。」

「拜託什麼？」

「這幾個專案的收尾工作，拜託您指導我。」

「……」

欒念聽到她說這句倒是不意外，她是能在訪談紀錄裡寫「Luke勸我換工作」的人，還有什麼事她做不出來？

「我在內部通訊錄裡存下您的電話了，我的手機裡還沒錄入，我現在打給您，勞煩您存一下。萬一有急事我會打給您。」尚之桃一鼓作氣講完這番話，拿出手機打給欒念。她想明白了，她才不要怕他。反正開始已經這麼糟糕了，最糟糕的結果無非就是他開除她。怕什麼！大不了從頭再來！

她將電話撥過去，而後等著欒念嘲諷她，可他很奇怪，竟然拿起手機問她：「名字怎麼寫？」

「高尚的尚，之乎者也的之，桃夭的桃。」

「英文名？」

「Flora。」

欒念存下尚之桃的電話，而後將電話放在桌子上：「Flora Shang，還有別的事嗎？」

「沒了。祝您週末愉快。」

尚之桃拿起資料夾快步走出欒念辦公室，走回工位長舒一口氣，第一週工作終於結束了。好像很難，又好像並不難。尚之桃說不清自己的感受，她在工位靜靜坐了一下，將複雜的心緒整理好，才站起身走出辦公室。

她迫切需要睡一覺，這一週兵荒馬亂人仰馬翻，到此刻才感覺到疲憊。站在公司門口攔計程車，攔了很久都沒有空車。馬路對面有醉酒的人朝她吹口哨，令她突然想起入職第一天同事講的那句妓女嫖客廣告人的笑話，又覺得有點恐怖。

欒念開車路過，看到馬路對面的醉漢和站在路邊瑟瑟發抖的尚之桃，像被人拋棄的可憐蟲。嘆了口氣踩了剎車，將車倒回尚之桃面前，按下車窗，問她：「去哪？」

尚之桃看到欒念，像看到救命恩人。比起被醉漢騷擾，她寧願被欒念奚落，拉開車門上了車：「我攔不到車，您可以把我載到繁華路段嗎？」

「繁華路段能攔到？」欒念反問她。

深夜十二點的北京街頭，究竟有多難攔車，尚之桃並不知曉。她紅了臉：「可我住的地方有點遠，不好意思麻煩您。」

「不好意思麻煩我妳上我車？」欒念討厭這樣奇怪的客套，有什麼可客套的？

尚之桃真想打他。

她短暫的二十二年人生，沒有遇到這種怪人的經驗，可現在坐在他車上，人就有點慫悶。

咧著嘴朝欒念笑了一下。

嘿嘿。

奇奇怪怪。

「妳去哪？」欒念不準備與她多說，直接問她。

「北五環。謝謝您嘞。」尚之桃跟 Lumi 混了一個星期，已然掌握了北京話的精髓。

欒念沒再跟她廢話，啟動了車。他車內有好聞的男士香水，醒腦提神，令尚之桃精神為之一振。她又不知道該跟欒念寒暄什麼，怕講錯話欒念又嚇她。於是閉緊了嘴看向車窗外，城市褪去喧鬧，就連出夜攤的人都安安靜靜。不知道過了多久，聽到欒念講話：「妳認路嗎？」

「啊？」

欒念看她一眼，乾脆在路邊停了車：「指路，會嗎？」

尚之桃剛搬過來幾天，又是路癡，欒念這一問把她問愣了，向車窗外看看，那地方可真是陌生又熟悉。於是茫然搖頭：「不好意思，我剛搬來……」

欒念也不意外，手指點了車載導航，又問她：「哪個社區？」

尚之桃說了社區名字，那地方欒念聽說過，被譽為北京睡城的地方。她腦子不好用，不計算時間成本，薪水難道不夠她挑一個離公司更近的地方嗎？

蠢人。

心中再一次給尚之桃定性，啟動了車子，將她送到社區門口，一句多餘的話沒講，發動引擎揚長而去。

尚之桃甚至來不及道謝。

她進了家門洗漱完畢，終於躺在床上，卻沒什麼睡意。手機握在手裡很久，覺得自己還是要有一點禮貌，於是找到欒念傳了一則訊息給他：『謝謝你，Luke。』

欒念沒回，他當然不會回。

欒念最懶，不喜歡無聊應酬，不喜歡無效社交，他施捨了，也不指望別人感激。

就是這樣的人。

尚之桃睡足了一覺，第二天睜眼時聽到客廳裡有人在講話。

「中午一起吃飯？也算認識一下。」是孫雨，她喜歡交朋友。

「好啊。我不會做飯，就負責買菜。」遠翥的聲音，尚之桃也聽過。她跳下床找出內衣穿上，又套上一件寬大T恤開了門，笑著問他們：「你們要聚餐嗎？」

「是啊。今天是我們六〇一室第一次人齊，吃個飯認識一下。」孫雨說道，她男朋友公司這週去京郊員工旅遊，她仍舊不需要去找他。

「我也想參加，可以嗎？」尚之桃徵求大家意見，她也喜歡熱鬧。在這座城市初來乍到，總想交幾個朋友。

另一個沒有見過的男生也笑著說：「當然可以。」他穿著一件公司的T恤，那個標識尚之桃很熟悉，心中微微震驚，北京真是一座臥虎藏龍的城市，走在路上普普通通，卻沒誰是真正的路人甲。

「那我介紹一下哦！」孫雨像模像樣充當起了仲介：「尚之桃、孫遠翥、張雷。」

幾個年輕人都笑出聲：「那我們去買菜。」張雷和孫遠翥自告奮勇去買菜，孫雨站在窗前看他們走遠，回頭問尚之桃：「妳有男朋友嗎？」

「沒有。」

「那妳跟這兩個男生好好相處，他們的工作非常好。真真正正的網路科技新貴。」

孫雨講得很現實，一個人在這座城市奮鬥不如兩個人，如果對方是一個收入不錯的人，那生活就會相對容易。尚之桃紅了臉：「我不著急，我剛畢業，想好好工作。」

「工作和談戀愛兩不耽誤啊！」

尚之桃忙擺手：「別別，同在一個屋簷下，太尷尬了。」

孫雨咯咯笑出聲，又辣又嬌的貴州女孩，最喜歡為別人撮合姻緣。尚之桃真的沒有那個心思，她滿腦子都是工作，戰戰兢兢謹小慎微：「妳知道嗎？我入職第一天，一個老闆就讓我辭職。」尚之桃嘆了口氣：「我有點緊張，他看起來不像在開玩笑。」

「妳得罪他了？」

「沒有啊……」

「他看上妳了？」

「他應該不缺女朋友……」

「那他為什麼第一天就想開除妳？」

對啊，為什麼？尚之桃想了好幾天都想不通，難道真的因為她在同批新人裡是最平庸的那一個嗎？或許是的。

她納罕的去洗漱，洗衣服，等她收拾得差不多了，男生們回來了。拎了滿滿四袋子食物。尚之桃忙問：「多少錢？我們ＡＡ一下吧？」

「不用不用。」孫遠翥笑著搖頭：「我們別做因為幾毛錢電費打架的室友，出門在外彼此照顧，不差這點小錢。」

張雷也搖頭：「那樣太刻意了，下次妳們來。」

「好啊。」孫雨繫上圍裙去廚房：「我來露一手。」

「我……只會煮麵……」尚之桃有點不好意思，她那點手藝真的不能炫耀。

「妳來備菜！」孫雨笑著將蒜遞給她，轉身去收拾魚、剁排骨，動作俐落。男生們擠在廚房門口看孫雨快手翻飛，忍不住讚嘆：「會做飯的女生不多了。」

尚之桃朝孫雨豎拇指：「太棒了。」她的臉在廚房裡悶得粉嫩粉嫩，神情盡是少女的澄澈乾淨，像一個很乖巧的好學生。

張雷看了孫遠翥一眼，咳了一聲。

「都能吃辣嗎？」孫雨問大家。

「能。」幾人點頭。

孫雨聞言跑回房間拿出一罐剁椒，然後將尚之桃向外推：「出去吧，嗆。」而後關上廚房的門，香味很快鑽了出來，尚之桃鼻尖動了動，突然覺得自己這一週以來的孤獨得到了治癒。

是不是在這樣的城市，人和人很容易成為朋友？

幾個年輕人坐在一起，都有些不好意思。

「要不要喝點？」孫雨問，她酒量好，在茅臺鎮長大的女生，周歲宴上長輩們就在她嘴裡點酒，那酒量是在茅臺鎮的醬香型味道裡泡出來的。

男生們點頭應允，尚之桃有些抱歉：「我不會喝酒。」

「東北女生不會喝酒？」張雷問她。

「那內蒙人也不都會騎馬啊……」尚之桃為自己辯解。

「那就不喝，嘿嘿。」張雷撓撓後腦勺：「讀書人不興勸女生喝酒的，除非女生自己要喝。」然後站起身去拿可樂，孫遠翥多問尚之桃一句：「能喝涼的嗎？」

「能。」

都是在異鄉漂泊的人，從南到北，從西到東，坐在一起，距離忽然消失了，大家都被統稱為「外鄉人」。

於是天南海北聊了起來，從中午聊到傍晚，仍覺得意猶未盡。他們聊的內容也有趣，各自的工作趣事，尚之桃是職場新人，沒什麼趣事可以講，於是就安靜聽著。

原來工作分很多種。

孫遠翥做大數據，他講大數據應用邏輯，以及大數據能解決的問題。講他和他同事因為一個抓取邏輯在會議室摔電腦，孫雨聽得咯咯笑。

張雷呢，他做產品商業化，每天與不同的人打交道。出差、調研、喝酒、建模，造就了他一身痞氣。後來那幾年，尚之桃認識了很多商業化老闆，她發現他們大多像張雷。而張雷，也成為大神中的一個。

孫雨，做銷售出身。她之前在一個頂尖的視覺展示公司做銷售員，最後因為客戶被上司強制安排給了其他同事，堅決辭職。

是一群有趣的人啊！

洗碗時尚之桃的手機響了，她跑過去拿起手機，聽到 Lumi 的聲音：『嘿，姐妹，昨天那款項我看流程快走完了，匯款審批郵件記得提醒 Luke 審批啊！』

「好的。」

尚之桃掛斷電話，想起他昨天在電話裡約人吃晚飯和看音樂會，看了時間一眼，斟酌良久，還是決定傳則訊息給他。

『Luke 您好，昨天那個專案的付款，財務已經開始走流程。還有最後一封郵件需要您審批確認。抱歉打擾您了。』

欒念過了很久才回了一個好字，再無他話。好在事情解決了，尚之桃打開電腦收郵件，等著走最後的流程，可欒念直到晚上九點都沒審批。

『怎麼還沒批？』盧米問她。

「傳了訊息，他回了好。可能不方便？」尚之桃有些拿不準。

『再去問問。』Lumi 讓尚之桃衝，然後又安慰她：『別怕，妳是最棒的。』

「哦。」

尚之桃又傳了則訊息給欒念：『Luke 您好，請問您方便審批嗎？』

不方便。欒念沒有回她，將手機丟回口袋，音樂會已經到了尾聲，身邊的姜瀾還在認真地看，欒念打從心裡討厭這無聊的週末夜晚，可這個大甲方難啃，董事會派他上。欒念有分寸，與她談天說地，距離若即若離，對方也不傻，直到走進音樂廳都沒鬆口。欒念也不急，就這麼吊著，談成了又不給他錢，他急什麼？

可尚之桃真是鍥而不捨，又傳來一則訊息：『請問您方便盡快審批嗎？財務在等啦。』

『讓她等。』

『……好的。』

「有事嗎？」一旁的女人湊到欒念耳旁輕聲問他，身上的性感香氣也隨之飄了過來。

「沒事。」

「謝謝你陪我看音樂會。」姜瀾的指尖劃過欒念手背，輕輕的，很撩人。欒念是見過風月的，但他對姜瀾沒有興趣。扣住她手腕，將她的手緩緩移向她膝蓋。

他又不是做鴨的。

他不賣。

在百無聊賴的夜晚最後，姜瀾家的樓下。

「上來喝個茶？」姜瀾邀請他。見過風浪的女人，把人生參悟得很透。喜歡就要到手，管他是誰。

「都是成年人，妳的意思我懂。」欒念點了根菸：「但沒有必要，凌美又不是我的，就算簽了這個合約，無非就是我的團隊要更辛苦的加班而已。」

姜瀾看著欒念，他真是長了一張薄情的臉，看起來就不好惹，但姜瀾喜歡。

「合約照簽，預付款照匯。」姜瀾突然笑了：「你要真跟我上去，我還真就怕了。」這種事也講求技巧，姜瀾大概看清楚了，欒念這個人軟硬不吃，來日方長，不急。

「多謝。」

「不客氣。」

姜瀾轉身向前走，到樓梯口轉身看欒念，嘴角一抹壞笑：「真不上來？」

欒念聳聳肩，上了車。

已經快到十二點了，這個週末廢了一半。他到家沖了澡，開了一瓶冰蘇打水，準備喝完就審批郵件。可尚之桃真有韌性，又傳了一則催審訊息過來：『Luke您好，請問您睡了嗎……？』

付款著什麼急！大半夜他批了就能付嗎？尚之桃腦子是不是不好使？他打給張嶺，他顯然也在應酬，電話那邊很吵：「Alex。」

『嘿Luke，光榮完成使命了？』

「換人。」

『什麼？』

「市場部對接我們部門的人，我要求換人。」

『為什麼呢？』張嶺好像有點喝多了：『為什麼換人？』

「因為她笨。你知道我忍受不了笨人。」

『可市場部沒其他人了啊……都派去外地跟執行了，再忍幾天啊，兵調回來就幫你換。』張嶺敷衍欒念，他太了解欒念了，他看不上的人，想方設法也要換了，可尚之桃多踏實勤奮的女生，這次被換了，以後還怎麼開展工作？

欒念也不再與他多說，打開電腦回了審批郵件。電腦還沒闔上，尚之桃的訊息就過來了：『收到啦，辛苦您。』顯然一直等在那。欒念發現尚之桃沒有別的優點，最大的優點就是有耐心，脾氣好。他這人軟硬不吃，遇到一個這麼不懂看眼色的人，也令他感到頭疼。

『還有需要我介入的工作嗎？』欒念問她。

『還有，但不急。今天很晚了，不打擾您休息了吧……』

『留到明天打擾？』欒念也不是故意為難人，今天不處理，那就是明天了。他不希望尚之桃毀了他的週日。直接打電話給她，聽到她有點慌亂的問好。

「還有什麼事需要我處理？」欒念不與她寒暄，徑直問她。

『還有公司年度會議需要您敲定場地……』

「那個我下週一跟 Alex 對。」

『還有企劃部申請的Q3物料和預算使用進度，需要確認。』

「找 Kitty。」

『那暫時沒別的工作了……抱歉打擾您了……』

欒念靜了兩秒，壓下心中的火氣：「沒事。」

『那晚安。』尚之桃的晚安說得有點心虛，她多少知道自己今天接連幾則訊息有點不禮貌，可她也沒有辦法，老大和財務都催得急。她講過晚安就等著欒念掛電話，禮儀嘛，等對方先掛斷。

欒念將手機丟到一旁，喝了口冰蘇打水。氣泡在他口腔裡炸開，令他頭腦清醒，回過頭發現手機竟然還亮著，尚之桃沒掛電話？

「妳不掛？竊聽呢？」欒念突然開口，尚之桃慌忙解釋：『職場禮儀……』

職場禮儀？靠！欒念在心裡罵了一句，這員工腦子被狗吃了嗎？可她說得又沒錯，但她不懂變通嗎？他壓下火氣說道：「嗯，是我掛晚了。」按了掛斷電話鍵，轉身又被氣笑了。什麼腦子。

尚之桃終於睡了，第二天睜眼聽到外面在小聲閒聊，突然愛上了這個小房子。她的室友人都很好，陽光快樂有理想，她下了班回來有這一個安全的小窩，真的很幸運。網路上那些關於租房的糟心事她並沒有遇到，除了屋子不是仲介說的那一間。

起身穿好衣服，拿著臉盆推門出去，看到孫雨和孫遠翥正坐在那鼓搗電腦，都姓孫，親戚一樣。

「妳起來啦？」孫雨與她打招呼，尚之桃點點頭，框架眼鏡向下掉了掉。

「鏡框鬆了？我等等幫妳調緊一下。」孫遠翥對著扶眼鏡的尚之桃說。

「好啊，謝謝啦！」尚之桃去刷牙洗臉，她的皮膚很好，只用簡單的保養品氣色看起來就很好。拿著麵包片和牛奶一張臉清爽著坐到他們對面，她最喜歡吃麵包片配牛奶，這個組合一輩子不會膩。

「好了。」孫遠翥按了重啟鍵，將電腦移向孫雨：「妳看看。」

「太厲害了，好了！謝謝你啊。」孫雨對他道謝。

「不客氣。」孫遠翥轉身回到房間拿出一個工具箱，對尚之桃說：「眼鏡給我看看。」尚之桃將眼鏡摘下來遞給他，看孫遠翥從魔法箱裡拿出一把小小的螺絲起子，三下兩下擰好了尚之桃的眼鏡。

「試試？」

尚之桃戴上，果然眼鏡不再向下掉，她朝孫遠翥笑了：「是不是好多男生都有這樣的工具箱？」

「也許吧。」

孫遠翥看尚之桃的眼神有點不同，會更柔和。他記得第一次見她那個夜晚，她被他的行李箱嚇得魂飛魄散。她落荒而逃的樣子至今令孫遠翥覺得抱歉。

「等等跟大學同學約了桌遊，要一起去嗎？」孫遠翥邀請她們。

「三國殺嗎？」尚之桃眼睛亮了，她在學校常跟同學們一起玩。

「是，一起嗎？」

「去嗎？」尚之桃問孫雨。

「走啊！」

都是單身男女，週末都沒什麼事，湊在一起偶爾放鬆一下會覺得快樂。他們搭地鐵到了集合的地方，看到了幾個形色各異的男女。

尚之桃猜到孫遠翥畢業的學校很好，卻沒想到那麼好。國內排名第一的大學。他的同學們也都和善可親，一個女同學跑去為尚之桃和孫雨點了咖啡，一群人就這樣熱熱鬧鬧玩了起來。

原來資優生也玩桌遊，而且玩得真不賴。

尚之桃抽到忠臣，她選孫尚香。孫遠翥是主公，他選劉備。開了局就將武器仁德給尚之桃，大家就起鬨：「遠翥這個主公，色令智昏啊！」

尚之桃紅了臉，緊緊捂著自己的牌，第一回合就有人把砲火對準她，很快就只剩一滴血。別人放了南蠻入侵，尚之桃沒血了，孫遠翥給了她一個桃，大家又起鬨：「主公哎！」

終於到她出牌，她手氣好，都是武器牌，孫遠翥又給了她兩張，掛上武器開始換裝備，最後裝上諸葛連弩和赤兔馬，對著隔位玩家連出了四個殺，迅速解決掉一個反賊，又丟出兩張牌與劉備一起回血。

到底是年輕人，再乖巧柔軟，也有果斷的時候，臉上的神采遮也遮不住。牌桌上其他人看看孫遠翥，又看看尚之桃，總覺得這兩人不尋常。

尚之桃不會看臉色，她滿腦子是這局得贏。玩三國殺的人，總會幫自己的動作配音。她每次幫孫遠翥回血，都會說一句：「主公，來～」模樣別提多乖巧嬌俏。孫雨則不一樣，孫雨潑辣，她抓的是內奸，玩呂蒙，一張牌不出，都存著，但不妨礙她起鬨：「哎哎哎，孫尚香妳也跟我睡一下！」

大家哄堂大笑。

如果運氣也分三六九等，尚之桃覺得自己一定是一等運氣。她在短時間內認識了這麼多有趣的人，令她覺得孤獨褪去大半。不管工作的時候多麼舉步維艱，至少這個週末讓她回血。

第三章　首次出差

尚之桃一頭衝進電梯裡，而後抬起腿將背包放在上面，將那本商務英語往包裡塞。電梯門快闔上時又開了，戴著墨鏡的欒念走了進來。

尚之桃慌忙放下腿站直身子對他打招呼：「Luke早。」

「早。」欒念的眼透過墨鏡看她一眼，那本商務英語還有一半露在外面。所以笨鳥還要在路上補習英語嗎？尚之桃不知道欒念在打量她，筆直而拘謹的站在那。她知道欒念不喜歡跟人閒聊，問了早後就不再講話。一張臉嚴肅認真，煞有介事。

但她很意外欒念這麼勤奮。上週工作五天，他除了有一天上午去見客戶，其餘時間都早早就到公司處理工作。當有天賦的人比別人還要勤奮，那就很可怕了。所以他那天對他說工作是為了賺錢揮霍肯定是騙人的，他來得比誰都早，走得比誰都晚，哪裡還有時間揮霍？

尚之桃斷定欒念是那種言不由衷的人。他有一張很壞的嘴和奇怪的脾氣，但他卻並非遊戲人間的人。尚之桃從未聽說哪個遊戲人間的人工作日要在公司高強度工作十幾個小時。

二人一前一後出了電梯，欒念手插在口袋裡，看到保潔阿姨竟然主動跟阿姨問好：「阿姨早。」

而阿姨則看起來不意外：「早啊。」

尚之桃驚掉了下巴，不愛理人的 Luke 其實修養很好？她在後面胡思亂想，差點撞上停下來的欒念。

「妳每天都這個時間來？」欒念突然問她。

「是啊。」尚之桃表情有些呆：「這個時間不塞車。」

見欒念轉身走了，她跟上前去問：「有什麼工作需要我早上處理嗎 Luke？」

「妳該處理什麼工作難道不該問妳老闆嗎？」

「那您為什麼問我每天幾點來？」死心眼開始刨根問底了。

「看看妳能勤奮多久。」

欒念皮笑肉不笑，丟下這一句轉身走了。尚之桃一臉狐疑跟在他身後，然後走到了自己的工位。坐下時抬眼看欒念的辦公室，他已經坐到辦公桌前，將電腦打開。

尚之桃想起 Lumi 說欒念：他嚴肅，但工作時很認真。

尚之桃覺得 Lumi 說得很對，他工作時真的很認真，比 Alex 認真多了。Alex 搞市場的，常年遊戲人間，時常抓不到人。但 Alex 勝在易相處，每天和顏悅色。不像 Luke，總是板著一張臉。板著一張臉，還不停嘲諷別人。挺討厭吶！

尚之桃這樣想著，打開文件檔案，將當日工作計畫寫進去。她深知自己沒有捷徑可走，又不想被淘汰，不能讓 Luke 如願。她又想起欒念勸她換工作，現在的她覺得被淘汰不丟人，被欒念說中了最丟人。

也不知道為什麼，心裡隱隱跟欒念較上了勁。

欒念當然不知道尚之桃與他較勁，他手裡有個大案子要跟，但創意部門人手不夠，跟幾個部門溝通都無果。於是問 Alex：「能借調兩個純執行的人給我嗎？」

「純執行是什麼意思？」

「就是不用動腦，幫我機械性的處理一些素材，跟進流程。」欒念想了想加了句：「來個機靈的。」

「Lumi 和 Flora 吧。」Alex 知道欒念補那句什麼意思，不就是在說尚之桃不行嗎？他還偏不如他願：「剛好她們是對接你們部門工作的，好下手。」

「不行。」

「誰不行？」

「Flora 不行。」

「那沒別人了……」Alex 耍起了賴，公司裡別人禮讓欒念，忌憚他可能真會像傳言一樣任命。他可不在乎這個，搞市場的到哪找不到工作？你可以看不上我，但不行看不上我的人。說到底 Alex 就是一個護犢子的人。

欒念聽出 Alex 的意思了，尚之桃愛用不用，不用我市場部沒有別人了。抬起眼看到尚之桃正站起來隔著隔板跟 Kitty 講話，Kitty 不知道在講什麼，有點盛氣凌人，尚之桃一直在點頭。

出息。對老闆畢恭畢敬，對同期也抬不起頭。欒念眉頭皺了皺，對 Alex 說：「行吧。你能不能招點能用的人？Tracy 不是給你 HC（招募名額）了嗎？」

「招著呢！這兩人先借你用，用完趕緊還我。」

「行。讓她們今晚收拾行李，明天跟我們去廣州。」

尚之桃人生第一趟出差，就這樣猝不及防的來了。她半夜到家收拾行李，躺到床上竟然有點睡不著。出差而已，又不是出嫁，怎麼這麼興奮？乾脆坐起來，拿出手帳，在上面手繪了一個簡版國家地圖，在廣州那裡貼上一面小旗。她一邊做一邊想，我的旅程要從這裡開始了，我以後還要去更多地方。

她睜眼到天擦亮，然後拖著行李去趕早班飛機。機場高速公路的朝霞可真美，天空中盡是氤氳顏色，令世間一切都溫柔起來。

她早到了兩小時，到的時候身上還沐浴著霞光，因為趕路微微紅著臉，頭髮散落在肩上，暖洋洋一個人。欒念喝咖啡，眼神在那個匆匆的身影上頓了頓。尚之桃臉上架著一副黑框眼鏡，像隻呆頭鵝。那呆頭鵝看了他一眼，又假裝沒看到，在遠處背對著他坐下了。

真行。

演技真拙劣。

尚之桃如芒在背，總覺得欒念在盯著她。是她心虛，假裝沒看到他。不然嘞？打個招呼然後被他晾到一邊嗎？她不知道自己筆直的脊背透著緊張，好像在等什麼人來救她。可憐兮兮的。

終於盼到Lumi像個模特似的款款走來，尚之桃長舒一口氣朝她擺手：「Lumi。」

「呦，到挺早啊。哎？那不是Luke嗎？」

「是嗎？Luke也到了？」尚之桃假裝回頭，看到欒念正低著頭看書，沒聽到一樣。

Lumi拉著尚之桃到他面前：「Luke早啊。」

「早。」欒念從書上抬起臉，看到尚之桃一副才看到他的神情，撇了撇嘴：「妳也早，Flora。」

嗯？主動問早？

尚之桃看到欒念眼底的揶揄，騰地紅了臉：「早，Luke。」

「妳臉紅什麼？」Lumi突然這樣問尚之桃，後者則偷偷用手指戳她後背，Lumi又來了一句：「那妳戳我幹什麼？」

「……」

欒念突然笑了，有聲的。

Lumi在公司待了兩年，沒聽過欒念這樣笑，驚訝的看他，又發現這爺們笑起來真好看，牙齒整齊乾淨，陽光燦爛，一點也不像平常那副鬼樣子。

「喝咖啡嗎？」欒念不理會她們看他的眼神，站起身問她們。

「啊？」尚之桃反應慢。

「喝！」Lumi反應快，老闆嘛，能宰就宰：「小桃桃幫忙拿，我剛到，還喘著呢！」

欒念走了兩步，見尚之桃還站在那，回過身丟給她一句：「走不走？」

咖啡廳裡人來人往，他們等在一旁。有人路過，尚之桃就要向前一步靠近欒念一點讓路給人，人過了，她再退回去，反反覆覆。欒念一動不動看她紅著臉折騰，她臉紅，像情竇未開的少女。

「妳臉紅什麼？」欒念突然問她。

「嗯？」尚之桃抬起頭看他，眼落進他清冷的眼中。他的眼神帶著一絲玩味，又問了一次：「妳臉紅什麼？」

「可能太熱了。」尚之桃的確覺得熱，她伸手抹了把額頭上的細汗。整個機場的空調都很好，哪裡就熱到這種程度。可尚之桃就是覺得熱，沒來由的。

「尚之桃。」欒念忽然叫她中文名字，看到尚之桃睜著一雙清澈的眼睛看他，緩緩說道：「妳這樣怎麼在廣告行業混？」

尚之桃的眼裡寫著疑惑，她顯然不懂欒念為什麼突然這麼說。框架眼鏡也遮不掉她眼裡那汪乾淨清澈，那小小的疑惑像早春融化的湖面上浮著的那塊碎冰，也耀著溫潤的光。

欒念有一個小小的念頭，想摘掉令她看起來呆頭呆腦的眼鏡。繼續緩緩到：「妳這樣膽小、害羞、怯懦、謙卑，怎麼在廣告圈混？妳知道廣告圈都是什麼樣的人嗎？」

尚之桃聽到他又在說她不行，忽然有點生氣，她生氣，臉越發紅：「我不知道，請您賜教。」

欒念卻聳肩：「我教不了妳，我能給妳的忠告就是勸妳換工作。」

說完也不等尚之桃說話，轉身去收銀臺拿咖啡。尚之桃一言不發接過一杯咖啡，跟在他旁邊。出了咖啡店，那喧鬧散去了幾分，一切突然變得安靜，尚之桃骨子裡那不明顯的倔強突然跳了出來，叫囂著讓她反抗。快走兩步站到欒念面前攔住他的去路，眼神之中突然多了一點剛硬，整個人也跟著有了稜角，雖然那稜角並不明顯。欒念站定看著她：「怎麼了Flora？」

「您給的忠告我記得了。」

「然後呢？」

「我就不換！」尚之桃脾氣上來的時候就像孩子，就這短短四個字而已，講完眼眶突然就紅了。她委屈得要死，覺得快要被欒念逼到絕路了。講完這句轉身就走，這麼生氣，還不忘那杯咖啡，手一動不動，到Lumi面前咖啡愣是一點也沒灑。

Lumi看她臉色不好，將腿從行李箱上拿下，大咧咧問她：「呦，妳怎麼了？」

「沒事。」尚之桃把拿鐵遞給Lumi，然後坐到她身邊。

欒念走過來，將她那杯咖啡送到她面前，做好了尚之桃拒絕這杯咖啡的準備。她呢，卻紅著眼接過，甚至還說了一句：「謝謝。」不管多生氣，修養卻還在。尚之桃應該是在一個小富即安的家庭裡長大，父母相愛，也很疼她，雖然沒有大富大貴，但該給她的教育一點也沒少。從她平常的一言一行裡看得出來。

欒念眉頭皺了皺，突然意識到自己管得太寬。她留不留在公司跟他有什麼關係？又不是自己部門的員工。

Lumi覺得他們之間氣氛怪異，可又不知道發生什麼，只好坐在他們中間不言語。各自喝著咖啡，好像彼此都不認識。直到創意中心另外兩人到了，他們才簡單聊幾句。

出了機場，尚之桃坐在計程車裡看著外面鬱鬱蔥蔥的世界，又突然覺得自己不應該因為一個無關緊要的老闆的話而生氣，且生這麼大的氣。這世界萬般美好，任哪一樣都比Luke的嘴好。Luke的嘴也好意思叫嘴？哼。

這可是我第一次來廣州呢！

「剛剛創意中心的Grace說Luke要請大家吃早茶，叫我們一起去。」Lumi說。

「哦，好。」尚之桃有一點不情願，她不想跟欒念一起吃飯，跟他一起吃的飯肯定不好吃。明明勸自己不生氣，可心裡還是會計較。

「妳從買咖啡回來就不對勁，怎麼了？」

「沒事，被蚊子叮了一下，癢得心煩。」

「叮哪了？我帶泰國小綠膏了，幫妳抹點。」Lumi當真了，從包裡翻出一小瓶綠膏，她去泰國玩的時候帶回來的。

尚之桃只好指指昨晚被蚊子咬的地方：「喏，這裡。」

「謔！這蚊子嘴挺黑啊！」Lumi 笑道。也不知道說的是蚊子還是欒念。

尚之桃被她逗笑了，到了飯店換了一身衣服，背著電腦出發了。

尚之桃的那身衣服，是一條豔麗的V領碎花連身裙，白淨的脖頸接連胸前那一小片如玉肌膚。平時看起來普通的人偶爾換個風格，就飽滿鮮亮起來。

Lumi 走在她身旁，忍不住嘖嘖出聲：「看不出來啊，這妞身材挺好啊！」

尚之桃被她誇得有點臉紅，下意識低頭看自己的領口，很保守，沒露什麼，不知道 Lumi 在起鬨什麼。

她們到餐廳時，欒念正在加菜。聽到 Lumi 打招呼從菜單上抬起眼，朝她們點頭，眼神掃過尚之桃，又低頭加菜。

餐廳裡很吵，老人們用粵語聊天，語調溫柔好聽，尚之桃覺得自己像是去到了九〇年代的香港，看到了她最愛的港片。又想起她用拼音學粵語歌的那幾年，眼神就更亮了些。

Grace 問欒念：「之前聽說 Luke 是廣東人？」

「祖籍江蘇。」

這算開了個頭，大家開始聊起了家鄉。尚之桃坐在那安安靜靜的聽著，偶爾回答一兩個問題。她的安靜就像手邊的水杯，就是放在那，需要的時候拿起來喝，不喝的時候不顯多餘。

話題不知道怎麼又轉到了戀愛結婚這裡，Lumi 手搭在尚之桃肩膀上問她：「那妳有男朋友嗎？」

尚之桃突然被問到有點慌亂，臉騰地紅了：「沒有。」

「這麼愛臉紅，不會沒談過戀愛吧？」女同事們最喜歡聊八卦，哪怕這八卦與她們無關。這時除了欒念，都齊刷刷看向尚之桃。

尚之桃被架到火上烤，無論如何都得招了。張口就是認認真真，不像滿口胡言的職場老油條：「大學談過一次戀愛。」

「說說？」Lumi 逗她。

「別了。」她抿起嘴，眼看向一旁。突然就想起辛照洲在嘈雜的鴨血粉絲店裡印在她頰邊的第一個吻。她至今記得當時他們之間的窘態。

「喝茶嗎？」一直沒開口的欒念突然問她們，而後起身為女孩們倒茶。Grace 哪敢喝老闆倒的茶，慌忙起身：「我來我來。」

「沒事，照顧好女士們是我的職責。」十分有風度，丁點不像數次奚落尚之桃要她離職的人。順便解了尚之桃的困境。

欒念從內心裡不喜歡應酬，今天的聚餐就是應酬的一種。尤其不喜歡聚餐時聊那些沒有營養的事情，好像知道誰睡過幾個人就能把案子做得更好一樣。

他這一倒茶，下屬自然明白怎麼回事，於是收了天南海北的胡聊，認真聊起了這次的案子。

尚之桃對欒念的氣一下子消了，甚至有點感激。欒念這人怎麼這麼奇怪，讓妳在尊敬他與討厭他之間反覆切換，他卻樂此不疲。

尚之桃真正見識到了廣告公司的出差強度。她從前以為的出差是悠閒自在，而真正的出差卻是馬不停蹄。

那頓早茶結束後就開始了沒有盡頭的工作，一夥人兵分四路，因為她沒有經驗，被分到了做欒念的助理，Lumi則被派去了會場。

尚之桃這人不記仇，早上的不愉快很快就煙消雲散了。可她不知道欒念記不記仇，同事們陸續走了，只剩她和欒念坐在那。

尚之桃有一點不自在，她說不清究竟是因為什麼，她每次在欒念身邊總是覺得不自在。心中隱隱害怕欒念又找藉口訓她一頓，好像她是那個不爭氣的學生一樣。

「坐過來。」欒念下巴點到身邊的方向，讓尚之桃坐過去。尚之桃聽話，坐到他身邊，聞到他身上極好聞的味道，說不清是什麼味道，不像尋常的香水味。此時他看起來戾氣沒那麼重，整個人似乎平和了一些。

欒念將電腦推到尚之桃那個方向一點，把祕書剛剛寄給他的日程展示給尚之桃看：「今天我們要見三個客戶，第一個客戶已經到了執行階段，其中一個部分就是Lumi去盯的會場主視覺和整體文案；第二個客戶已經中標，但創意部分需要微調；第三個客戶是晚宴，銷售部跟進很久，進入深度需求探索階段，因為在超級客戶白名單，且客戶方出席title對等，所以我需要出面。」

欒念停下，偏過頭問尚之桃：「剛剛我說的情況記住了？」

尚之桃點頭：「記住了。」

「妳要做的事情是做好前兩個客戶的會議紀要，在會後同步給我；多觀察客戶反應，在會後告訴我妳的想法。」

「好的。」

「會喝酒嗎？」欒念問她。

「不會。」

欒念幽幽看她一眼，那眼神的意思尚之桃懂：不會喝酒敢混廣告圈？坦蕩蕩的眼神迎上去，那叫板的神情欒念也懂：不會喝酒怎麼啦？

尚之桃挺逗，有時候謙卑得要死，誰都能拿捏她；有時候又突然炸毛，讓她看起來有一點不好惹，只有那麼一點而已。

叫板歸叫板，工作還是要做的。於是一本正經問欒念：「Luke，之前Lumi說創意中心的會議紀要有特定模版，可以寄一份給我嗎？」Lumi才沒說過，但欒念這麼龜毛要求肯定很多，尚之桃可不想會後被他痛罵一頓。

欒念順手找出一份紀要給她看，不足三百字的會議紀要。尚之桃以為她看錯了，又覺得欒念在逗她，追問一句：「這個是會議紀要嗎？」都不如市場部的紀要長。

「嗯。看清了嗎？寫重點，別寫廢話。」

「看清了。」

尚之桃發現她真的摸不到欒念的想法，她以為他是對工作要求很高的人，可他們的會議紀要卻寥寥幾字；說他要求不高，他又總是不停地提出建議。

「關於工作還有問題嗎？」欒念問她。

「沒了……」

「走吧。」

欒念除了工作不再與尚之桃說任何一句話，板著那張好看的臉站在路邊攔車。尚之桃指了指路邊咖啡廳的遮陽傘：「您去那裡等吧，我來攔。」恭恭敬敬下屬對待老闆的態度。

欒念看她一眼，他並不喜歡尚之桃這樣，事實上大多的下屬都這樣，但他格外看不慣尚之桃這樣。想開口訓她，終於還是忍住了。

關我屁事。

愛攔去攔。

我沒事老是想訓一個笨蛋幹什麼？

欒念心中說，竟真的移步到一旁看尚之桃攔車。

上車時，欒念拉開車門，看了尚之桃的碎花裙一眼，無聲的坐到裡座。

尚之桃隱約覺得自己被照顧了，又感覺沒有。她覺得自己不像上一週那麼怕欒念了，欒念嘴不好，可他工作的時候真的認真。他話少，但句句都是重要資訊，妳只管認真聽著就好，該教的他一定會教，該講的話他一定會講。

欒念見甲方，與尚之桃讀書時候的小打小鬧真的不一樣。她記得他們幾個窮學生見甲方的時候，緊張得不成樣子，不敢談條件，給建議也是小心翼翼。那時的甲方拿捏他們拿捏得很好，時常嘆氣：「哎，預算不多啊，實在不行我們就問問別的團體。」

「您不用問了，我們最好。我們又便宜又好。」

欒念呢？

欒念給人的感覺就是我管你是不是甲方，聽我的就對了，好像一切都在他的掌握之中。可他又有分寸，並不令人覺得討厭。

他拋出了一個創意想法，與對方很認真的討論。如果遇到他不贊同的地方，他會慢下來，很認真的思考，然後提出客戶那個想法的問題，循序漸進、心平氣和。

比如他會問：「所以這個創意的受眾群體究竟是誰呢？從創意元素拆分一下好嗎？」

又比如他會說：「過去三年，我們嘗試過三次用這種傳播方式，效果並不好。」然後會打開電腦，找到當時的資料來展示。好像所有的東西在他頭腦中都被歸類好了，他想要隨時可以自取。

他還會對著甲方的女高管微笑：「降價不是最好的策略。」怎麼那麼溫柔。他溫柔的時候又是另一副模樣，令人覺得如沐春風。

欒念總是出人意料。尚之桃以為他會飛揚跋扈，可他沒有。他真是一個怪人。與第一個客戶談過，客戶一直將他們送到樓下，直到他們離開。

尚之桃覺得自己學到了教科書級別的會面技巧，不，書裡可沒寫過這些。再看欒念的眼神就有一些藏不住的崇拜。她看一眼就算了，而後又看一眼，被欒念抓到，她也不覺得尷尬，終於光明正大說出心裡話：「您真的太厲害了，剛剛的會面好精彩。」

「拍馬屁是你們大學必修課？」欒念問她。

誇不得罵不得，就是一個這麼不好相處的人。

尚之桃被他嗆了一句，卻也習慣了，不接他的話，繼續自說自話：「我今天跟您學到很多。」

「學到什麼了？」

尚之桃想了想：「學到利用自己的性別優勢，對女客戶微笑。」說完狡黠的笑了，一派晴朗之氣，令她整個人都生動起來。

欒念定定看她，這個新人早上還跟他紅著眼睛跺腳呢，下午就敢跟他開玩笑了，心可真大。瞥她一眼轉身走進路邊便利商店，買了兩瓶水丟給尚之桃一瓶，她慌忙接住：「謝謝。」

「不客氣。」

欒念喝水，餘光掃過尚之桃，她一張臉被陽光曬得微紅，明明很普通的女生，微微揚起脖頸喝水時，卻帶著一點性感。乾淨的性感。他的心突然就被撓了一下

很輕。

尚之桃覺得做欒念的祕書一定很刺激。明明見上一個客戶時還萬物可愛的和氣樣子，到了第二個客戶那裡就變了天。

尚之桃不知道該如何形容自己的感受，她沒見過跟甲方叫板的乙方。她覺得也有可能是自己工作時間太短，還沒見識到職場的牛鬼蛇神。

起因是第二個客戶說創意要微調。

尚之桃理解的微調是色彩變一變、大小調一調諸如此類，所有人都以為微調是這樣。客戶不是，客戶說的微調是推翻了重做。他用港式口音慢悠悠講出那句：「這條廣告片呢，我們覺得還是需要推翻重做的啦。」廣州分公司的同事頓時傻了眼。看了欒念一眼。

欒念沒理會客戶的話，指節叩在桌面上，偏過頭問尚之桃：「妳讀書時做的那個專案，客戶讓你們微調，調的是什麼？」哈？讀書時做的專案？尚之桃這才想起欒念那輪面試的時候，她講了他們做過的一個專案，那場面試他一句話都沒講，她以為他根本沒有聽她講話。

「客戶讓我們調一下場地的擺設。」

「讓你們加東西了嗎？」

「沒有。」

「讓你們重新選場地了嗎？」

「沒有。」

欒念點點頭，又問廣州分公司的同事：「之前每一輪溝通的確認有郵件紀錄嗎？」

「有。」

「拿出來給秦總看看。」

做生意講求誠信，樣片都出了你說要推翻重做，相當於花一套的錢買兩套創意，這不合理。那時的廣告市場還沒這麼透明公平，即便是凌美也會遇到這種欺行霸市的情況。廣州分公司的同事也是見過世面的，不卑不亢拿出過往郵件展示給客戶看：「您看，這裡，每一步都確認過。」

「那怎麼辦呢？我們昨天晚上開會大家突然覺得有問題。」客戶耍起了無賴。

「能理解貴公司對創意和審美的變動。推翻重做不可能了，我讓財務聯絡您，核算樣片成本，您換一家看看。」

尚之桃以為自己聽錯了，看著欒念。還能這樣？可欒念是動了真格的，他開始收拾東西：「樣片我們刪除了哈，我讓財務按最低成本算，其餘款項退還，就當交個朋友。」而後朝秦總伸出手：「謝謝秦總。」

秦總做慣甲方了，沒見過這麼強硬的人，還沒說幾句話就要走，但到底是生意人，欒念留了面子給他，於是說道：「這樣，我們今天再開會討論一下，然後聯絡諸位。」

「好。」欒念看了廣州分公司的同事一眼，轉身出了門。態度之決絕令人咋舌。

尚之桃跟在他身後，覺得自己的血壓已經升高了。那個廣告片的支出費用是經市場部的，她上週剛好看過，那麼一大筆錢，欒念就這樣不要了？

欒念頭也不回地走掉了，尚之桃小跑著跟上他，兩個人出了那家公司站在濕熱的廣州街頭。尚之桃的眼睛裡寫滿不解。

「不懂就問。」欒念最受不了別人有話不說。

「就……不合作了？」

「嗯。」

「就……賠了？」

「嗯。」

「……」

欒念指了指路上的車水馬龍：「妳不是愛攔車？攔吧。」然後退回了樓宇之間的陰影裡。把疑問和思考的時間都留給尚之桃。這女生沒有城府，那點心思都寫在臉上，笨得明明白白。

談客戶講究配合。欒念本來就跟客戶不熟，這種場合他擺明了態度該走就走，留下當地同事去打圓場做客情解決問題。一硬一軟裡應外合問題就好解決。不然就要被客戶牽著鼻子走。尚之桃早晚會知道答案，欒念故意不告訴她，覺得逗她挺好玩。

尚之桃站得筆直的攔車，拘謹刻板得不像現代人。才二十出頭的女生，明明滿臉少年氣，可一走一坐一站又是這樣的姿態，在這樣的時代裡，顯得有點另類。

欒念想起她在人流如織的機場紅著眼跺腳：「我就不走！」再生氣，也就那樣到頭了，好欺負得要命。

坐上尚之桃攔到的車，去赴一場晚宴。尚之桃還是想不通，那麼大一筆生意，說不要就不要了？看了欒念好幾眼，終於忍不住問他：「真不要啦？」

「妳心疼妳去追。」欒念丟給她一句，而後靠在椅背上閉目養神。尚之桃好奇看他一眼，這一眼落在他微微揚起的下頜上，突然紅了臉。

她想到了性。

沒來由的。

或許是廣州太熱了，人體的生存環境發生了改變，所以我突然對每天勸退我的老闆動了邪念。這是正常的，是人就會有邪念。尚之桃在心裡為自己想好了開脫證詞。如果有一天她因為對老闆動邪念被開庭審判，她的證詞一定在陳述階段就被駁斥。

晚宴是在珠江邊，透過窗就能看到外面的小蠻腰。

「這位美女怎麼稱呼？」周雨馳看到尚之桃坐在那十分文靜，與凌美其他員工大不相同，特別問她一句。

「尚之桃，您叫我 Flora 就好。」尚之桃禮貌回答。

「尚小姐乾淨溫柔，氣質真好。」周雨馳認真誇她。

尚之桃的臉又紅了，在這樣的酒局上，她的臉紅就像雪原上那獨獨一株紅梅，顯眼得很。

男人們忍不住多看一眼，欒念也順著目光偏過頭，看到她粉紅的耳垂。

「尚小姐喝點紅酒？」周雨馳又問她。

「抱歉我不會喝酒。」

「哪怕一小口？」周雨馳繼續勸酒，酒局上女孩子說不會喝酒都是推託詞，一旦開始第一口，大多數原本說不會喝酒的女人酒量都不會太差。

尚之桃沒經歷過這種場合，不知道該怎麼回絕。

「她今天還真不能喝酒，等等要幫我寫報告。」欒念突然說道，而後轉頭向尚之桃：

「勞煩 Flora 保持清醒，今天幫我把報告寄出去。」

銷售部老大程易航 Apollo 與欒念交換了一個眼神，大意是憐香惜玉了？

欒念淡然拿起手機傳了則訊息給他：『女士喝多出醜你搞砸單子別怪我。』

這客戶 Apollo 跟了那麼久，自然懂欒念的意思，於是對周雨馳舉杯：「Flora 確實有重要工作在身，我們兄弟先喝吧！」

大家開開心心飲酒，尚之桃安靜地坐在欒念身旁，看他一小杯一小杯地喝，他酒量可真好，喝了半斤多仍面不改色。但他喝酒的時候很少吃菜，只是認真喝酒，像在品酒，只偶爾喝一口熱湯。

尚之桃沉迷於他的側臉，卻不敢多看。倒也不用多看，她完全記得了。

他們在酒桌上聊的東西也是千奇百怪，軍事、政治、歷史、哲學，想起什麼聊什麼。欒念話不多，但他什麼都懂，偶爾表達觀點的時候一針見血。有時他將手放到餐桌上，修長的手指，乾淨平整的指甲，還有手背上那條青色血管。一個二十八歲的成熟男人，乾淨、得體、犀利、好看，尚之桃對他起的那股邪念揮之不去。

再喝得多些，就開始聊女人。無論多成功的男人，喝多了總愛談論女人，好像少了這一環，他們那頂天立地的形象就立不起來一樣。

聊女人時，欒念就很少講話了。

他覺得低俗。

欒念這個人，可以跟好朋友之間開很淺很淺的玩笑，也只是很淺而已，再深一點，比如今天桌上講得隱晦的黃腔，他不願講，也不願聽。

Apollo 喝得有點多了，與周雨馳聊起「名器」，兩人都久經沙場，拋出「各有千秋」這樣的總結。尚之桃聽不懂，但看他們的神情也知道不是好話。

欒念聽了一下，站起身出去，三分鐘後推開門，電話還貼在耳邊，朝大家歉意地笑笑，而後朝尚之桃擺手：「Flora，妳來聽一下這個電話會議。」

尚之桃如釋重負，跟他走出去，欒念將手機丟給她，丟下一句：「有電話進來不用接，有訊息不用回。」

尚之桃愣了一下，轉眼明白了，欒念在解救她。她有點感激，突然覺得欒念這個人看起來很冷很冷，但他的心腸真的不壞，他對人、尤其是對她，相當刻薄，卻也在不停地做她的老師。

尚之桃有一點感動，眼睛又有點紅了。想道謝，欒念已經進去了。包廂的門關上，將那些下流話也關在了裡面。尚之桃拿著欒念的手機去外面吹風，廣州的夜晚，潮濕悶熱，她覺得自己被汗水黏住了。

突然想起辛照洲就在深圳，距離她很近的地方。尚之桃覺得人真是奇怪而複雜的動物，明明已經分手了，卻還是想知道對方過得好不好。

欒念的手機響了幾次，尚之桃將手機扣過去不敢看，好像看了就窺探了他的隱私一樣。

她不習慣。

哪怕跟辛照洲戀愛的時候，她也從不看他手機。

她站在外面安靜的等著，過了將近一個小時，看到他們向外走，都有些醉態了，只有欒念看起來還算清醒。看到欒念的眼神落在她手上，慌忙將他的手機又貼在耳朵上，裝作在開會的樣子。

倒是不笨。

欒念看她像模像樣的樣子著實可笑，嘴角咧了一下。

尚之桃假裝講了兩句話，而後將手機放下，迎了上來：「抱歉周總，今天這個會太急，出來有點久。請您諒解。」

周雨馳喝開心了，惺忪著眼睛對她說：「沒關係，下次見尚小姐。」抬起手朝尚之桃肩膀上搭，欒念推了 Apollo 一把，讓他迎上周雨馳的手，後者也聰明，順勢跟周雨馳勾肩搭背。

「我覺得還不盡興，我們再找地方坐一下？」Apollo 提議。周雨馳算是愛玩的人，又被乙方安排慣了，點頭：「好好。」

「我就不去了，我晚上還有會。周總盡興。」欒念與周雨馳客套道別。

Apollo 朝大家擺手：「我送周總走，我們總部見。」去了第二場。

就這樣散場了。尚之桃目送他們的車開走，將欒念的手機還給他：「謝謝您。」

欒念沒有說不客氣，仍舊是那個理由，他不想幫，任妳做什麼他都不會幫，他幫了，就不在乎妳是否感激。

「有人打給我嗎？」欒念問她。

「我沒看。」尚之桃認真的說：「不禮貌。」

欒念大概知道她不說假話，垂眸看她：「如果不會喝酒，就永遠別喝。這是我給妳的忠告。」

「為什麼？」尚之桃不懂就問。

「原因妳自己領悟。」

欒念今天喝了很多，想在珠江邊走走，對尚之桃說：「我去走走。」

「我也想走走。」尚之桃忙說道：「我沒來過廣州，想趁這個機會看看珠江夜景。」她說完跑進旁邊的冷飲店，買了兩杯冷飲，跑出來遞給欒念一杯：「我也請您一次。」

欒念伸手接過，喝了一大口，轉身走了。

尚之桃跟在欒念身後散步，珠江的風可真溫柔，吹得她頭髮蓬亂，像她很愛的秦淮河的夜晚。他們走了很久，找了兩個相鄰的長椅坐下，慢慢將各自的冷飲喝完。

珠江邊到處都是長腿美女，尚之桃好奇欒念會不會喜歡看，偷偷看他，他呢，顯然見慣了美女，並不為所動。

手機突然響起，她慌忙接起，Lumi問她：『在哪呢姐妹？』

「我和 Luke 在珠江邊。」她如實回答。

『怎麼了？今天睡外面了？找到職場逆襲的捷徑了？』Lumi 逗她。

尚之桃下意識看了欒念一眼，壓低了聲音：「不是，馬上就回去了。」

Lumi 咯咯笑出聲：『急什麼，跟 Luke 多聊聊，聽說 Luke 快升職了，妳幫自己鋪好路。』

尚之桃不知道如何接話，她不關心欒念會不會升職，只關心自己會不會被他裁掉。但話說回來，欒念升職了，裁她是不是更容易了？

尚之桃想到這忽然覺得嚇破了膽，自己早上還跟他發火了呢！

尚之桃真是多想了。

她那發火在欒念看來，就像一隻小奶貓在朝他齜牙，他一根手指頭就能將她制服。

她心虛偷看他的那兩眼，都落進他餘光裡，令他恍惚覺得尚之桃想跟他做點什麼。但欒念對尚之桃不感興趣。在他看來，尚之桃太過平庸。今天偶然那一瞬失神，不過男人本性而已。

平庸不是原罪，只是他搞創意，喜歡視覺上耀眼的女人。

「走吧。」他站起身朝前走，珠江邊不好攔車，要走一段路。尚之桃起身跟他走，這時的他跟上了發條一樣，大長腿一步又一步速度很快，好像剛剛那些酒都餵了狗。尚之桃小跑著跟了上去：「Luke，我跟不上。」她微微喘著：「您……可以慢點嗎？」

「跟不上就自己攔車。」

這人怎麼這麼怪，剛剛還好好的呢！現在就甩起臉了？尚之桃心裡罵他是怪人，乾脆停下來，自己攔車就自己攔車，有什麼了不起？

「……」

是她天真了。

夜晚的珠江邊哪裡就那麼好攔到車？兩個人一個在這頭，另一個在那頭，各自攔車。十幾分鐘過去了，好運氣的欒念終於攔到了車，尚之桃的脾氣一下就消失了，幾步跑過去開車門上了車，朝欒念笑了笑：「感謝您捎上我。」能屈能伸，一點也不覺得低頭有什麼丟人。

欒念不理她，也不趕她下車，低頭回私人訊息。

尚之桃熬到目的地，跳下車，畢恭畢敬一句：「謝謝 Luke 今天教我很多，也謝謝 Luke 讓我一起乘車。」轉身逃了。

跑進電梯間，房卡刷了樓層，速速按了關門鍵，而後長舒一口氣。

進房間時 Lumi 正在敷面膜，穿了一件吊帶睡裙，開衩到腿根，兩條長腿搭在桌子上，在尚之桃進門時吹了個口哨：「可以啊妹妹，跟 Luke 逛珠江。明天能不能直接轉正？」

尚之桃舉手投降：「Lumi 導師，我有個請求。」

「有話但講無妨。」

「只求別提 Luke，給您鞠躬了。」

「那提樂念？」Lumi 還是逗她。

「別……」

Lumi 將面膜扯下來，大笑出聲：「這麼怕他啊？出息。為師教妳一招。」

「什麼？」

「但凡妳怕的男人，想方設法睡了他，睡完妳就會發現天下男人都是一個鳥樣。」

尚之桃被她逗笑了：「那妳也怕 Luke，妳為什麼不睡了他？」

「我怕我男朋友剁了我。」

膽小了。

尚之桃從行李箱拿出睡衣穿上，她的睡衣，是一件中袖睡裙，帶著粉色蝴蝶領，十分可愛。她有點不好意思在 Lumi 面前換睡衣，想去洗手間。被 Lumi 叫住：「哎哎哎！都是女人，誰沒看過啊！」

也對。

尚之桃一狠心，脫下了連身裙，胸前的鴿子撲騰了一下，Lumi「哎」了一聲：「好傢伙！好傢伙！妳還有這等寶貝！」她指著尚之桃：「渾身都是寶！」

尚之桃慌忙套上睡裙，雙手護在胸前，有點無措的看著 Lumi。Lumi 去洗臉，途經她身旁，嘖嘖一聲：「尚之桃妳記住了啊，妳可是有核武器的女人。妳別輕易投降。」

尚之桃哪懂什麼核武器，這一天跟打仗一樣，她只想洗個澡好好睡覺，明天繼續工作。

明天非常值得期待，因為她明天終於不用跟欒念一起。

欒念陰晴不定的。他對人不冷不熱，對她說不上好也說不上不好。尚之桃有時想請教他一些事情，又總擔心自己的提問過於愚蠢。

是的，在欒念面前，她覺得自己是個蠢人。就算是一個蠢人，卻在今天三番五次對他有了邪念。

等她和Lumi關了燈各自躺在床上時，尚之桃的疑問還未消散。她忍不住問Lumi：「Lumi，妳曾覺得自己愚蠢過嗎？」

「我為什麼要覺得自己愚蠢？」

「我這幾天總會覺得自己愚蠢。」

黑暗給了人膽量，尚之桃第一次與Lumi交心。她覺得她步入社會這短暫的日子時常有困惑：「妳知道我為什麼怕Luke嗎？」

「為什麼？」

「我寫的員工訪談是真的，Luke在做訪談的時候勸我換工作；他後來又說過一次。他覺得我不行。」尚之桃有點難過，她知道自己在所有同期入職的同事之中履歷最不漂亮，但她是不是真的差到欒念覺得她沒有可取之處的地步，她困惑了。

「Luke說了兩次讓妳辭職？」Lumi在黑暗中問她。

「是。所以我該換工作嗎？」

「妳不該換工作。妳知道妳應該做什麼嗎？妳現在應該睡覺，明天早上開開心心起床，把 Luke 的話當成放屁。」Lumi 有點同情尚之桃，剛入職就被 Luke 盯上了，被別的老闆盯上也就算了，Luke 是誰？再過段時間任命下來了，整個國內的分公司都要他來管了。可她不能現在對尚之桃說這些，尚之桃已經戰戰兢兢了。

尚之桃的第一個職場導師 Lumi 是一個很好的人。

她沒有過人的天分，卻有不錯的運氣。她已經在床上睡著了，Lumi 卻還睜著眼睛，她盤算著怎麼幫這個小女生留下來。這女生多好，任勞任怨，脾氣性格頂尖的好，怎麼就要開除人家了？

這一天從天不亮到深夜，尚之桃這一覺睡得很沉很沉，到底是二十初的年紀，第二天睜眼又是神清氣爽，一派青春無敵。Lumi 睡前傳訊息給她說不去吃早餐，她躡手躡腳洗漱，穿著一件寬大的T恤，素淨著一張小臉去餐廳吃飯。她前一天晚上就沒怎麼吃飯，早上真的餓壞了，食物沒少拿。

端著餐盤找位子，看到坐在窗邊的欒念。他昨天喝多了酒，今早卻已看不出痕跡了。一縷晨光打在他面前的餐桌上，讓他多了一絲人氣。

再有人氣，也是尚之桃不想也不敢招惹的人。尚之桃動作快，閃到柱子後面，而後四處張望找到一個角落。她躲閃的動作剛好落進欒念眼裡，鬼鬼祟祟，奇奇怪怪。

尚之桃真不會把握機會。

欒念見過太多知道自己想要什麼的人，在這樣的場合，會徑直走上前去問他：Luke 一個人？隨便聊些什麼，對目前工作的想法、對職業生涯的規劃。他剛工作時，在美國總部，集體 Team building，他眼見著一個同期自費升艙坐到老闆身邊。職場就是這樣，老闆就只有一個，妳躲在後面，就不要指望會被人看到。

這麼好的機會，她像一隻喪家犬似的，跑了。

不會把握機會的尚之桃坐在餐廳角落悠然自在吃著早餐，也為成功躲避欒念而心生了幾分歡喜。只要成功躲過欒念，就又是沒被開除的一天。她這樣逗自己。

可好景真是不長，她那顆藍莓剛塞進嘴裡，就見對面坐了人，抬起頭看到欒念，愣了一秒才與他打招呼：「Luke 早。您吃了嗎？」

「會議紀要呢？」

「昨天晚上寄給您了。」

「寄到哪了？」

「您郵箱。」

欒念拿出手機，翻出手機郵箱丟到尚之桃面前：「哪封是？」

尚之桃是看到傳送成功了的，可欒念的收件匣裡並沒有。她一時之間不知道怎麼回事：

「我可以上去拿電腦下來嗎？」

「如果妳連會議紀要都忘記寄，那妳可以考慮今天就遞辭呈了。」

尚之桃聽到他又這樣說，起床的好心情煙消雲散：「如果我沒寄，我今天就辭職。」她站起身：「我上去拿電腦，請您稍等。」

她拿電腦的路上，一遍遍回憶自己昨晚傳送的動作，還有已傳送成功的提示，她確定這沒有問題，拿著電腦下了樓，回到餐廳，坐到欒念對面，打開電腦，找出寄件匣，是有一封她昨天深夜寄出的郵件，收件人是 Luke Lu，不是 Luke Luan，凌美還有一個人英文名叫 Luke，姓 Lu。

她緊抿著嘴唇一句話不說，欒念沒錯，他真的沒收到郵件。錯的是她，她寄了，但寄錯人了。

「對不起 Luke，我寄錯人了。」

「所以。」欒念看著尚之桃，眼神鋒利：「妳將昨天會議的保密資料寄給了別人？那妳還不如不寄。」欒念站起身：「辭職信別寄錯人了，Flora。」

尚之桃並沒有回答他，她不敢開口，她知道自己一旦開口就會哭出來。她不想在欒念面前哭，在他心中，她已然是最差勁的那一個，從來都是。如果她哭了，他更會看不起她。

她就那樣咬緊牙關，沒有講話，也沒有哭。

後來那幾年，無論她經歷什麼樣的風浪、質疑，遇到什麼樣的困難，心中經歷什麼樣的崩潰，她都沒有在欒念面前掉過一滴淚。她可以在朋友面前、親人面前放聲痛哭，可她在欒念面前，從來沒有。

她在餐廳坐了一下，而後回到房間。Lumi 已經起床了，尚之桃與她打了招呼，然後兩個人一起參加市場部的電話會議。這個漫長的會議整整開了一上午，Alex 安排很多很多學習任務和輔助工作給她，除了繼續對接企劃部和創意中心，她還將學習 P R（公共關係）和市場活動。等她開完會，看到手機上欒念傳給她的訊息：『還不寄給我？』

她以為欒念問的是辭職信，於是回他：『抱歉開了一上午會，還沒來得及寫辭職信。』說的好像不開會她就會寫一樣，尚之桃這樣的女生，安心為別人鼓掌，自己也耍了一手好無賴。沒有渾水摸魚的本領，就不會養成那麼好的心態。早上的挫敗早就煙消雲散了。

『會議紀要。』欒念回她。

『哦哦哦，我以為您跟我要辭職信呢！』

『？』欒念回她一個問號，這女生腦子怕是有點病。

妳沒事吧？

第四章　升級之路

尚之桃將會議紀要寄給欒念，而後傳了則訊息給他：『Luke 您好，會議紀要已寄到您的郵箱，請您查收。』

欒念過了十分鐘回她一則訊息：『早幹什麼去了？』欒念的意思很清楚，妳既然知道寄過了紀要就要通知一聲，昨天為什麼不寄完就確認？

『昨天太晚了，怕打擾您休息。』

『好的工作習慣，與早晚無關。』

『謝謝您的指導，我記下了。』

欒念眉頭皺了皺，將手機丟到一旁，跟 Grace 繼續確認其他工作。

「我們今天傍晚要跟客戶去順德的工廠，跟進客戶產品、民間代言人情況，基礎資訊搞清楚後可以給出第一版創意。」Grace 將自己的工作介紹一遍：「但客戶那邊行程緊，到了之後我需要一個幫手。可以讓 Lumi 跟我們一起嗎？之前與她合作過幾次，很潑辣，能鎮得住客戶。」

「好。把 Flora 也一起帶去。」欒念補了一句。

「好啊。我們都挺喜歡她，每天笑呵呵的，很能幹。」尚之桃找過 Grace 兩次，她很謙虛，也好溝通，Grace 覺得與她講話不費力。

她能幹？

欒念看了 Grace 一眼，沒有多講話。

「那我們下午四點出發。Luke 不跟我們一起去？」

「我不去了，我有事。」

欒念留在飯店處理工作，傍晚的時候他出了門。他來廣州的機會不多，他在廣州有一個特別的朋友。崗頂有一家小小的舞蹈工作室，欒念到的時候，孩子們還在上課。他站在門口看了一下，臧瑤還像從前一樣，將頭髮在腦後綁了一個俐落的髮髻，露出光潔的額頭。在一個旋轉時看到站在門口的欒念，嘴角便揚起，無比好看。

賞心悅目。

如果問欒念他覺得最美的女人是誰？他的朋友們一定會替他回答：臧瑤啊！這還用問嗎？

欒念耐心地等在門口，看臧瑤跳舞。

他朋友不多，國內只有一個譚勉，還有兩個合得來的朋友在美國，每年見幾次。除了這些人就是臧瑤了，他們認識十年了。十八歲到二十八歲，也算跨過了人生好長一段光景。

譚勉曾問他：「你沒跟臧瑤發生點什麼？」

欒念永遠不會回答這個問題，他跟臧瑤之間總是少了點什麼。至於是什麼，他說不清。

臧瑤從課堂出來，笑著到他身邊：「怎麼這麼早？我要去沖澡換衣服。」

「不急，妳去。」

臧瑤朝欒念邁進一步，展顏一笑：「氣色不錯，看來這次分手仍舊沒對你造成致命傷害。」

「管得真多。」欒念敲她頭：「去吧，等等去喝一杯。」

「好，你等我。」臧瑤轉身跑了，身上那件芭蕾舞裙飄忽一下，很好看。

臧瑤請欒念吃工作室附近的屋頂燒烤，兩個人坐在屋頂上吹廣州鹹濕的晚風。

「我想啟程去下一個地方了。」臧瑤啃著生蠔對欒念說。

「下一個地方是哪？」

「我在想，或許可以去貴陽。廣州太熱了，貴陽涼快，爽爽的貴陽。」臧瑤翹著一根手指端起啤酒杯：「可貴陽是不是就沒有你們公司的客戶了？」

「有兩個。」

「那你還可以來看我嗎？」

「可以。」

臧瑤將酒杯放下，指尖點在欒念手背上：「你怎麼又分手？」

「無趣。」

「你覺得女人無趣？」

「不是，親密關係無趣。」

「那就一直單身？不解決生理需求？」

欒念聳肩：「不知道。」

欒念討厭管束。他想不通為什麼女人一旦開始戀愛，就一定要去約束你，幾點回家，與誰一起，是不是在回別的女人的訊息。他在散步時問臧瑤：「妳會在乎妳男朋友聯絡人裡都有哪個異性嗎？」

「我為什麼要在乎？他緊張我才差不多。」臧瑤滿臉不可置信：「不自信的女人才想約束男人，自信的女人被男人追著跑。」她講完這句若有所思，然後對欒念說：「你討厭被管束，或許是因為你不夠愛。」

「心理諮商開始了？」欒念問她。

「別，我可不敢。」臧瑤將長髮撩到一側，露出好看的脖頸，嬉笑著說：「你心裡沒有疾病，你的根本原因就是太高傲了。」

「我高傲？」

「你沒有嗎？你是不是說過你大多數同事都是笨蛋？」

「我收回那句話。我之所以那麼說，是因為我沒見識到真正的笨蛋。」

……尚之桃打了一個噴嚏。

「我以為你收回那句話，是因為你意識到自己的問題。那你說，你嘴巴是不是特別惡毒？」

「如果說真話算惡毒的話，我承認。」

臧瑤拿他沒辦法，她沒辦法跟他辯論：「你哪天回去？」

「週五晚上。」

「那明天跟我男朋友一起吃飯好嗎？」

「不好，我沒時間了。」

「你為什麼不喜歡我男朋友？」

「我應該喜歡嗎？」

臧瑤男朋友是個看起來有幾分病態的吉他手，欒念不是很喜歡那樣的人，不是不喜歡他的姿態，單純不喜歡他瘦骨嶙峋，看起來像根電線桿，講話卻十分激進。

「不喜歡就不喜歡吧，反正我也快要去貴陽了。」

「他不跟妳去？」

「他不去。有錢的廣州人離不開砂鍋粥和涼茶。」

「妳不也是有錢的波士頓女孩？為什麼四處流浪？」

「錢花不完嘛……」臧瑤輕飄飄一句，像是在炫耀，又有幾分愁思。欒念懂她的難過，輕聲安慰她：「別這樣。」

「哦。」

臧瑤長長嘆了口氣，靠在江邊欄杆上，憑欄遠眺。她有點想問問欒念，等她離開廣州，去北京行不行？北京也不那麼熱，北京還有他。可她不敢問。

她覺得她現在跟欒念之間的狀態大概是他們之間最好的狀態了，近一步遠一步都不行。她也曾想過，不行就拉著欒念，多喝一點酒，兩個人醉了，脫了衣服把一切該做的事情都做了，或許這奇怪的僵持就打破了。

可他們都是一樣的人——不肯在兩性關係中低頭的人。

「那你最近有對什麼女人感興趣嗎？」

「沒有。」

「那你最近對什麼感興趣？」

「工作。」

「騙人。」臧瑤輕聲笑了出來。

「？」欒念看著她。

臧瑤搖搖頭：「罷了罷了，跟我沒有關係。」她小跑幾步：「要不要送我回家？」

「行。」

他們從珠江邊向臧瑤家裡走，路邊時而站著兩三個黑人。

「妳晚上盡量別一個人出門。」欒念叮囑她。

「我很宅的，你知道啊。」路過一個小水坑，臧瑤拉住欒念衣袖跳了過去，狀似不經的說：「要是我們到了三十歲都還沒結婚，不如就湊合一起得了。」

「我不湊合。」

在欒念心中湊合結婚非常可悲，他寧願不結婚，也不會湊合。他沉默著將臧瑤送到家門口，拒絕上樓：「上去吧，下次見。」

「我也很有可能會去看你。」

「歡迎。」

臧瑤上前一步，雙手穿過欒念手臂落在他後背上，輕輕拍了拍：「我會想你。」

「保重。」

欒念一直目送臧瑤上樓，然後才拿出手機，看到有幾通未接來電，尚之桃的。

「什麼事？」

『Luke，實在不好意思。Grace 有資料放在你房間，快遞來不及了，讓我回來拿，明天一早帶到順德。』

「在飯店等我。」

欒念掛斷電話看到 Grace 傳來的訊息，很真誠的道歉。她知道欒念最難容忍這樣的低級錯誤。

『下次注意。』

欒念下了車看到尚之桃站在飯店門口等他，站得筆直，像犯了錯誤的學生等著老師批評。欒念沒有講話，從她身邊過去。尚之桃默默跟在他身邊，上了電梯。這種感覺很奇妙，她明明是去拿資料，又不是跟他睡覺，她緊張什麼？

可她就是緊張。

孤男寡女，在深夜共乘一部電梯，去其中一個人的房間，故事講到這就很旖旎了。尚之桃年輕的腦袋控制不住胡思亂想，從此女人在公司裡飛黃騰達了？

跟著欒念下了電梯，到了他房間門口便自動停下，等在外面。欒念進去找了很久也沒找到 Grace 說的資料，他在房間內喊尚之桃：「妳進來。」

「哈？不方便吧。」尚之桃的頭腦裡演剩下的故事了，不能為外人道的故事，只是一個閃念，卻馥郁芬芳香豔至極。

有病吧！欒念起了一陣邪火，幾步走到門口，拉住尚之桃的手腕一把將她拖進門：「去找！」對尚之桃的一聲輕呼充耳不聞，而後站在了門口。

尚之桃的手腕被他的手心燙到，狠狠瞪他：我也是有脾氣的！可那一眼欒念沒看到，他面朝著走廊，一派正人君子之風貌。

大多數的男人在找東西這件事情上都是廢物，哪怕是欒念也不例外。尚之桃進去不到三分鐘，就在欒念的筆記型電腦包夾層裡找到了資料。她向外走，看到欒念掛在衣櫃裡的衣服，他品味真好。

「找到了，Luke。抱歉這麼晚打擾您。」

「妳剛剛想什麼呢？」

「什麼？」

「妳剛剛，站在這，想什麼呢？」

我想跟你睡覺。尚之桃內心跳出的那個小人真是膽大妄為，朝欒念微微一笑，眼隨即看向別處。那個香豔的故事在她身體四肢蔓延開來，揮之不去。

欲望的覺醒。不僅是男性的權利，還是女性的。那句話馬上衝破喉嚨，卻聽到欒念說：「我建議妳，別有那麼不合時宜的念頭。」

她以為別人瞎嗎？她紅著臉站在那，眼神飄忽不定，滿腦子男盜女娼，現在的女孩都這樣了嗎？以為爬上老闆的床就能在公司平步青雲？她想什麼呢？

尚之桃心中那個小人被杖斃，忙搖頭：「我真沒有。」欲蓋彌彰，此地無銀三百兩，講完這句朝電梯間跑，還不忘丟一句：「您晚安。」

欒念看著她慌張跑進電梯，嘴撇了撇，鼻腔裡哼了一聲，竟又咧嘴笑了一下。

她跑到大廳，開始琢磨著去吃口東西，從早上一直折騰到現在還沒吃到飯，肚子咕嚕嚕叫。翻出手機來看看周圍有什麼可吃的，低頭研究了一下，再抬頭時看到一個女人從計程車上下來，那個女人可真美，頭髮束在腦後，纖細筆直的身姿，下巴微微揚起，溫柔之中又摻雜著野性。尚之桃多喜歡看美女啊，自然多看了一眼，又忍不住回頭追著她再看一眼，這一眼卻看到欒念走出來，迎到女人身前，難得和風細雨與人講話：「妳怎麼來了？」

「我沒有鑰匙，能在你這裡待一下嗎？」

靠。

尚之桃從不講髒話，但有時她會在心裡罵髒話，這都什麼事？屋漏偏逢連夜雨？接二連三目睹老闆不大能見人的私生活，還是每天都想開除她的老闆。

她撞上欒念的目光，慌忙朝他笑笑，拇指食指捏在一起從唇前劃過，我會閉緊嘴的，我什麼都不會說的，請您放心。

欒念突然明白了她在想什麼，但他懶得與她解釋，冷冷看了她一眼，與臧瑤往裡走。

尚之桃覺得自己自從工作開始就大有一種運氣用盡了的感覺，該看的不該看的、該聽的不該聽的都往她眼睛耳朵裡鑽，現在又要擔心欒念為了讓她閉嘴拿她開刀。

她在飯店外面站了一下，哪裡也不想去了，買了泡麵和香腸回了房間，吃了東西就蒙頭睡去，第二天天不亮就起床直奔順德，終於離開了廣州。

人生中第一次出差，馬不停蹄，不知道見了多少人，不知道聽了多少需求，五天時間眨眼便過，當她拖著行李在機場跟 Lumi 告別時，甚至生出了一股自己是女強人的錯覺。

但女強人可不會累。

她回到家，跟孫雨一起出去吃麻辣燙，兩個人被熱氣熏得一頭一臉汗。尚之桃講起出差見聞，也說起欒念屢次要她離職的事，對孫雨說：「很有可能，我過幾天就要捲舖蓋滾蛋了。滾蛋前我要寫大字報貼在公司電梯裡，就說他女朋友遍地開花！」尚之桃有點惡狠狠的，轉眼被自己逗笑了。

她其實是特別活潑的女生，可惜工作把她折磨得好長時間沒有朝氣。這時狀態放鬆了，那點沒心沒肺、傻裡傻氣的活潑感就表露出來。

「他一個主管跟妳較什麼勁？妳別太緊張。」孫雨安慰她。

「會不會有人上輩子就是仇人，這輩子也要拚個你死我活？」尚之桃喝了一口可樂，氣泡在她口腔炸開，碳酸飲料真令人快樂。

「那是妳多想了，這輩子給妳機會跟人家拚了嗎？一來就要讓人家碾死了呢！」孫雨嚇唬尚之桃，她工作三年了，見過的職場比尚之桃多一些。

其實哪裡就要你死我活？

這個老闆討厭妳，刁難妳，妳早晚有忍不了他的一天。到那個時候連拚的念頭都沒有，恨不能拍拍屁股一陣煙似的消失，從此江湖不見了。

尚之桃想了想，欒念那麼嚇人，大概真會碾死我。她那時根本想不到，不久以後，欒念真的差點把她碾死。嘆了口氣：「我也不知道怎麼回事，他越討厭我，我越能撞見他的祕密。」尚之桃把欒念分手、約女人吃飯、在廣州帶女人回飯店的事一一與孫雨說了：「妳看，我就是這麼倒楣。每次都是這樣，妳不知道，那天在廣州飯店樓下，那位仁兄看我那眼，真是恨不得弄死我。」

「私生活這麼亂？」孫雨睜大眼睛：「長什麼樣啊？這麼有女人緣。」

「就是……長得……特別好看，一看就特別不安分那種。」在尚之桃心裡，欒念已經是那種不安分的人了。她甚至想過，他換女人這麼頻繁，一定會有隱疾吧？

兩個人吃完了麻辣燙往回走，尚之桃覺得自己被掏空了，到了家沖了澡換上睡衣，躺在床上蒙頭大睡。這一覺睡得很沉，她好像很久沒有這麼疲憊過了。讀書時做兼職也會累，可那種累是妳在操場上走一圈就能消散的，而這次，她覺得自己累得連指頭都懶得抬。

等她睜眼的時候，已經是週日的下午，微風鼓動窗簾，電扇還在嗡嗡響。廚房裡傳來炒菜香，一定是孫雨在做晚飯。

她拿出手機，看到爸媽打來好多通電話，才想起她睡覺之前靜音了，也忘記跟他們報備。忙打過去，電話響一聲就被接起，她聽到老尚好像在哭。

「我爸怎麼啦？」尚之桃問媽媽。

『妳還敢問怎麼了？妳要把妳爸嚇死了。』媽媽也抹起了眼淚：『打了多少電話給妳妳不接，妳爸昨天一宿沒睡，以為妳出事了。』

老尚哭得可真悲壯，尚之桃聞言也落淚：「哎呀，我錯啦，你們別哭了，我這不是好好的嘛！」

一家三口抹了一下眼淚，爸爸媽媽又仔細問了尚之桃的近況。老尚聽說尚之桃經常加班到深夜，頓時很心疼：『爸爸下午就去轉錢給妳，妳吃點好的補補。』

「不用不用！我經常蹭室友的飯。」

『那哪行呢？不能占別人便宜啊。妳吃人家一頓，就要還一頓。』老尚叮囑尚之桃：『別嫌東西貴捨不得吃，妳爸有的是錢！』

老尚哪裡有的是錢了？就那點死薪水，無非是不想讓自己的女兒吃苦。尚之桃當然懂，所以她從來都不與人攀比，她覺得日子嘛，小富即安就夠啦。只要自己每天都在努力，總會一天比一天好。

是個樂天派。

天生樂天派，遇到讓她真正頭疼的事沒幾件。眼前只有一件，欒念。

她又躺回床上，打開電腦去搜「上司討厭你你該怎麼辦」，網頁搜尋結果亂七八糟，有的說請上司吃飯，有的說幫上司解憂，還有的說拍上司馬屁。

這都什麼跟什麼？拍欒念馬屁？欒念不得揪著妳衣領把妳丟城牆上示眾？請吃飯，她還沒拿到薪水呢！Lumi說欒念一件衣服頂她一個月薪水，那他吃頓飯不得吃掉她半個月薪水？

怎麼樣都不行。

無解。

哎？飯請不起，咖啡總行吧？他每天都要喝咖啡，搞創意的人靠咖啡續命呢！就這麼辦！

尚之桃打定了主意要跟欒念搞好關係，第二天早早到了，轉進了公司樓下的二十四小時咖啡店。她到得早，咖啡店還沒什麼人，賣咖啡的男生招呼她：「喝點什麼？」

尚之桃走上前問他：「每天早上都有一個高高的好看的男人來買咖啡，他喝什麼？」

男生意味深長地看她一眼：「Luke 吧？」

「對對。」尚之桃點頭。

「Luke 每天喝冰美式。」

「那勞煩您給我一杯冰美式。」尚之桃頓了頓，不買自己的，好像顯得很刻意，於是說：「也給我來一杯。」

咖啡做好了，她一手一杯出了咖啡店，剛好撞見欒念。

「Luke 早啊！」尚之桃笑著與他打招呼：「您來買咖啡嗎？」見欒念點個頭要過去，忙說道：「我剛剛不小心買了兩杯，要不然賣給您一杯吧？」

尚之桃差點咬舌自盡。送您一杯，賣您一杯，一字之差，謬以千里。

她十個月就會叫媽，一歲多就追著鄰居家小哥哥吵架，也自認是個伶牙俐齒的人。可今天，她想請上司喝咖啡，張口卻是要不然賣給您一杯吧。

她可真缺這一杯咖啡的錢。

等欒念把她從公司掃地出門，她就可以喝西北風了，還喝什麼咖啡！

欒念看她後悔不迭的表情，猜不出她這千迴百轉是為了什麼，只在心裡說了一句：尚之桃有病。

「要不然我請您喝？」

「喝不完妳可以倒了。」欒念朝她咧嘴一笑，朝前走了幾步，從玻璃光影裡看到蠢人尚之桃張了口卻沒聲音，轉身走回她身邊，從她手裡拿過那杯咖啡：「明天還妳。」

尚之桃終於覺得看到了一線生機，忙跟在他身後：「不用不用，明天我還請您。」

欒念終於懂了。

尚之桃在討好他。

「妳就算天天請我喝咖啡，也改變不了妳不行的事實。與其有動這歪腦筋的時間，不如好好充實自己。」他在前面昂首闊步，講出這些話來氣定神閒，尚之桃在後面跟著他，像一條慌不擇路的喪家之犬。

跟著他進了電梯，又聽他說：「問問自己半個月過去了，有什麼收穫？每天跟沒頭蒼蠅一樣忙，有時間反思嗎？不動腦，怎麼成長？」

罷了，喝她一杯咖啡，給她幾句忠告。

「好的，Luke，我記得了。我今天就反思，我會把結果寄給您請您指正的。」

「妳寄給我做什麼？我是妳老闆？我有義務天天教妳？」欒念訓了她一頓，心情大好，看她偏著腦袋不知道在想什麼，又來一句：「如果妳覺得我講這些話妳消化不了，那妳趁早寫辭職信。辭職信容易寫，就四個字：我不幹了，就行。」

「哦。」尚之桃莫名其妙挨了一頓訓，垂著腦袋出了電梯。欒念說得對，與其動那歪腦筋，還不如好好工作。

人在年輕的時候總歸是要走一段彎路的。

尚之桃第一次走的彎路就是買了那杯咖啡給欒念。後來的她覺得自己當時太愚蠢了，她應該毫不保留的去努力，而不是企圖走捷徑。

這世界上極少有人能成功走上捷徑，有捷徑可走的人是上天眷戀的寵兒。大多數人都要一步一步腳踏實地去努力，但結果永遠未知。

更何況欒念看起來就不會認可別人走捷徑，那在他看來是投機取巧。

她從電梯裡出來坐到工位上，認真思考欒念的話，覺得他講的是對的。工作真是磨練人，這麼短的時間就激發了她學習和總結的潛能。

她真的認認真真總結了自己的工作，之前一直疲於奔命，並沒有進行過這樣有系統的總結。當她在電腦上一點點敲出自己的工作，哇，原來我做了這麼多瑣碎的事情，原來我學到了這麼多東西。

她後來經常會反思。這種理性的思考方式一直陪伴她的職業生涯。

所以欒念其實是個很好很好的導師。

那一天工作結束，天才同事們陸續離開，尚之桃並沒有走，她認認真真的幫自己制定了一個提升計畫。

所有人都曾制定過提升計畫，又或者是願望清單。

尚之桃認認真真思考了她和同事之間的差距，寫下她的提升計畫，還寫了一個三十歲前的願望清單。她不想給任何人看，寫過後鎖在抽屜裡。

突然覺得目標變得清晰，這種感覺真的很棒。

有時成年人之間的交流也會出人意料。

第二天她早早到了公司開始工作，有人走到她面前她仍渾然不覺。這一天是她第一次主持市場部供應商會議，她需要再熟悉一遍流程。

一杯冰美式被放到她桌上，她詫異地抬起頭，看到欒念站在她桌旁，淡淡一句：「還妳一杯。」

「您太客氣了……」尚之桃有點不知所措，又想起昨天那杯咖啡帶給她的尷尬。

欒念沒講話，拿起她的記事本看。尚之桃寫了一手好字，是他認識的所有人中寫字最漂亮的，如果有一天凌美開除她，她去寫字帖賺錢也能糊口。這一手好字真令人愉悅。

「下午開供應商會？」欒念問她。

「是的，我在進行準備。」

「這些供應商，執行效率最高的是誰？配合度最高的是誰？接受墊款週期最長的是哪一家？能接受的最大墊款金額是多少？各自擅長的領域是什麼？」欒念問她：「這些資料整理過嗎？」

「我……」

「過往沒有這些資料是吧？」欒念又問。

「是。」尚之桃點頭。市場部用供應商，基本上是事情來了，就隨機找幾家招標，中了的做事。事實上大多數公司都這樣。

欒念挑挑眉，轉身走了。

尚之桃愣了半天，突然發現，市場部竟然沒有統一的供應商參數庫？她看著那杯咖啡很久，而後打給姚蓓：「學姐，我想請您幫我一個忙。」

『怎麼了？桃桃。』

「我記得妳之前說國企對供應商管理很嚴格，我想看看你們的供應商入庫參數。」

『只能有表頭，其他敏感資訊不行。』

「表頭就夠了。謝謝學姐。」

『客氣個屁，三分鐘。』

尚之桃突然體會到了工作的樂趣。

從前的她太死板了，那工作放到眼前，她一板一眼執行得很到位，可她的視野很窄。她從沒有站得高一點再去思考這些問題。她有點感激欒念，拿起冰美式喝了一口，一點都不苦，加了糖漿的。

『謝謝您，Luke。我準備緊急整理一下供應商資訊。』她傳了則訊息給欒念，由衷的感謝欒念。欒念沒有回她，他當然不會回。但他揚了揚眉頭，覺得自己親手帶的這個學生似乎也沒有那麼差，經過點撥還是能勉強上得了檯面。

欒念已經把尚之桃當作了他的學生，而他自己並沒有發現這樣的意識轉變。

下午市場部的會議，也邀請了欒念。他的任命快要下來了，所有主管都知道。有人服，有人不服。但服不服，表面工夫都要做到位。

Alex是無所謂，他跟欒念搭過一些項目，兩個人更熟一些。這樣的外部會議邀請欒念，也算表明他的態度。

尚之桃作為會議主持，提前做了很多很多功課。在會議開始前Alex有些得意地對欒念說：「今天上午，我們備了一盤大菜，為公司對外管理工作的專業化和體系化，提前打個先河。」

「期待。」欒念什麼都沒說。

最開始的那幾句尚之桃有一點緊張，三兩根頭髮被汗打濕貼在臉上。Alex和Lumi都捏了一把汗，欒念聽到Alex問Lumi：「妳確定沒問題？」

「沒問題。」Lumi 話是這樣講，但她仍舊坐直了身體，替尚之桃緊張。

尚之桃看到坐在正中間的欒念似乎是在意料之中的神情，突然有了鬥志。她也並非一無是處，在 Alex 講話後，逐漸放鬆下來。

會議有幾個日程：介紹過往專案進度、介紹下半年的主要專案和招標計畫、答疑。以及最後，凌美市場部供應商評分體系。

是的，上午尚之桃拿到姚蓓的資料，突然覺得凌美的供應商入庫和解約應該有一個體系，就像考試，多少分及格，多少分重修，成績差到什麼程度就勸退。她對 Lumi 說了她的想法，Lumi 睜大了眼睛拍她肩膀：「可以啊！尚之桃！這套東西市面上可不多見！」

Alex 也誇尚之桃：「Flora 果然很棒。」

整個市場部上午都窩在會議室裡大腦風暴這套體系，就連午飯都沒有吃。

市場需要公平，大牌的供應商需要督促，小公司需要機會。當一切有體系化的制度，管理就會步入正軌。也會避免很多經濟問題。

欒念是聰明的，也是冒險的。

他要接手凌美中國區，希望公司能有所改變。但不應該所有改變都發生在他接手後。週一週會，Alex 同步了市場部供應商大會的事情，週二早上，一杯加了糖漿的冰美式放到了尚之桃桌上，欒念順手拿起了尚之桃的筆記，特意問了她幾個問題。

尚之桃不領悟，欒念也不會意外。

但尚之桃領悟了，並且行動迅速，她的努力和想要改變現狀的決心令她絕處逢生。欒念早上看到她傳來的訊息，覺得她能領會他的意思就算達到目的，可她交了一張漂亮的答案卷，這多少令人驚喜。

再驚喜，也還是面無表情，低頭打字做出一副事不關己的模樣。公司裡的環境像個深潭，高處不勝寒。他不能表現得急功近利，也不能看起來毫不費力，所有的一切都講究機緣，也講求天道酬勤。

最後一個部分真的精彩，欒念聽到供應商老闆們在竊竊私語，但大家對凌美市場部的新政策整體持肯定的態度。

工作第一次帶給尚之桃成就感。

當會議結束，她在整理會議紀要的時候，也反思了自己的收穫。她希望自己遇到任何工作，都能站得高一點，換一種思考方式去思考問題。而擁有了這項本領，她才能走得更遠。

渾水摸魚二十二年的尚之桃突然有了工作理想。

她的會議紀要直到半夜十二點多才輸出，一直半低著頭，整個肩頸都有些痠了。站起來舒活筋骨，看到欒念的辦公室還亮著燈，他正坐在那裡聚精會神的工作。

他今天怎麼這麼晚走？

尚之桃對欒念的感覺很奇怪，她很怕他，卻又覺得他有時似乎在教她一些東西。

她想再跟欒念說一句謝謝，又覺得這樣太多餘，他不喜歡被打擾。

尚之桃這樣想著，收拾東西，出了公司。

她今天有成就感撐著，心情飄忽忽的像要飛起來，一點都不覺得累。除了夜裡不好攔車，一切都很完美。她站在路邊攔車，可這時加班出來的人很多，車又很少，她攔不到。

半個多小時後她琢磨著走一段碰碰運氣，卻看到有車停到她面前。是欒念。

尚之桃不好意思再麻煩他，朝他擺手：「太晚了，您快回家吧。」

「順路。」欒念推開車門。

尚之桃看了看時間，太晚了，她不敢任性，上了欒念的車。

「真的順路嗎？」

「不順，妳下車吧。」欒念一邊說一邊發動了引擎。工作不到二十天，尚之桃卻習慣了欒念講話的方式。她嘿嘿一笑，又問他：「您住在哪？」

「住妳附近。」欒念說順路倒也不是騙她，沙河有一片別墅區，從尚之桃家開過去十五分鐘。

「那您為什麼住那麼遠呢？住在公司附近多方便。」

「妳為什麼住那麼遠？」

「我沒有那麼多錢租房子。」尚之桃不覺得說這個有哪裡丟人，她剛畢業，還沒拿到第一個月薪水，她能有錢才怪。

欒念不多講話，偏頭看了尚之桃一眼。她坐在車上也是規規矩矩，雙腿緊合，如臨大敵。

「妳怕我？」

「什麼？」

「妳是不是怕我？」

「我沒有。我怕您就不會上您的車了。」

尚之桃說得輕巧，她不敢多看欒念一眼。轉頭看向窗外，夜色斑斕，她突然冒出一個念頭：或許該去學開車？對，該去學開車。什麼年代了還不會開車！

欒念放起了音樂，這緩解了尚之桃的緊張。她終於將頭轉過來看向前方，甚至主動聊起了天：「今天謝謝您。」

「謝什麼？」

「謝謝您早上的指導。」尚之桃說：「我知道自己沒有什麼天賦，甚至很平庸。所以您對我的批評和勸誡我都接受。我只想懇請您給我一點時間，讓我成長。」

欒念認真看了她一眼，難得「嗯」了一聲。

「以後我有不懂的不會的，可以請教您嗎？」

「妳沒有導師？沒有老闆？」

「不一樣。」

哪裡不一樣？Alex 和 Lumi 讓尚之桃放鬆，他們令她覺得即便自己平庸，仍能被接受。

而欒念不同，欒念令她有隨時被淘汰的危機。她在欒念身上學到了很多很多。不到短暫的二十天，欒念就用他的方式，令尚之桃的想法向上邁了一小步。

「別問我愚蠢的問題。提問前請謹慎思考。」欒念默許了尚之桃的請求，並提出唯一的要求。

尚之桃動了學開車的念頭，就立即決定去學。用老尚給她的錢報了駕訓班，孫遠翥陪她去的。

孫遠翥這個男孩真的很好，清清秀秀，溫溫柔柔，看人的目光專注而友好。尚之桃覺得自己在孫遠翥的目光下，能膨脹成一朵雲。

「以後週末我可以陪妳學開車，反正我也沒事。」孫遠翥多少有些擔心尚之桃，提議陪她學開車。

「你可以跟同學們去玩啊，你那些可愛的同學們。」

「不影響，我們通常下午見面。」

「哦哦哦。」尚之桃有點感激孫遠翥，他一直在幫助她，可他自己又渾然不覺。

「教練說話都不會很好聽，妳呢，每次去的時候買瓶水給教練，或者帶一盒菸。他講話難聽妳別往心裡去。」孫遠翥叮囑她，他學開車時教練不知道講了多少難聽話，那些教練應該是從同一個培訓班出來的，訓人的話一模一樣，「我之前學車的時候，有女生被教練訓哭。」

「這麼嚇人啊……」

尚之桃請孫遠翥喝大醬湯，就在孫遠翥母校附近。看著周圍坐著的各色人等，突然想起自己想提升英語，就問孫遠翥：「你們學校有英語角嗎？」

「怎麼？」

尚之桃將自己的提升計畫說給他聽，她不覺得有什麼丟人。孫遠翥並沒有嘲笑她，反而覺得她認真上進的姿態很可愛。

「我介紹一個外籍教師給妳吧？妳別去機構學，機構很貴。這個外籍教師，三十塊錢四十分鐘，按次付錢。妳可以跟他聊天，問他各種問題。我有幾個考托福的同學就是他輔導的。」孫遠翥指了一條省錢又高效的明路給尚之桃，尚之桃點頭如搗蒜，把孫遠翥逗笑了：「期待妳的提升計畫能成功。」

「我會的。」

孫遠翥介紹的教師住在他母校的學生宿舍裡，是一個美國留學生，高高大大的身材，標準的美國人長相，講著一口流利的北京話。幫自己取了一個中文名字，叫龍震天。尚之桃琢磨很久，龍震天，嗯，好名字。外國留學生總幫自己取那些很接地氣的名字，有時建議他們改一個吧，他們會說：「這不是很好？」

龍震天問尚之桃：「想學到什麼水準？」

「想學到可以無障礙聽懂全英文會議的水準。」

「那您得費點功夫。」

「有勞您了。」

尚之桃被龍震天帶偏了，也不由自主講起北京話，三個人齊齊笑出聲。龍震天喜歡交朋友，尚之桃又可愛，他就念叨晚上去學校附近的酒吧坐坐。

他們學校附近都是韓國人，酒吧裡真熱鬧，講英語的、韓語的、少數講法語的、大多數講中文的，什麼人都有。尚之桃第一次來酒吧，覺得很新鮮，左看右看，在右看時對上一雙清冷的眼。

這世界真小。

那不是Luke嗎？他跟幾個朋友坐在一起，三男兩女，男人真出眾，女人真國色。尚之桃想起他在廣州的女友，又看看眼前的女人，討好似的朝他笑笑。

欒念收回眼，繼續跟譚勉講話：「耶誕節出發是吧？」

「是。你們公司不是放聖誕假嗎？」

「當然。今年去哪？」

「北海道泡溫泉吧，最近太累了，我們選個不太遠的地方。就不去美國看親人了，反正過年也是要回去的，怎麼樣？」

「行。」

「那我們也一起？」旁邊的女孩問。

「我們每年旅行，從不帶女生。」譚勉抱歉地朝她笑笑，哪裡不帶女生，帶的，臧瑤。

欒念站起身：「我去個洗手間。」

酒吧的洗手間很陰暗，尚之桃從裡面出來一腳踩空差點栽到地上，被一隻手握著手臂拎了起來，她忙道謝：「謝謝謝謝。」抬起頭看到了欒念。

「妳過來。」

欒念丟下這一句轉身走了，尚之桃跟著他兩人一前一後出了酒吧。

周邊很嘈雜，欒念冷著臉問她：「報告寫完了？」

尚之桃週五被安排了作業，Alex 讓她寫企劃部市場部的聯合專案執行報告，週日寄出來。尚之桃寫得差不多，還有一個收尾，明天上午寫完沒有問題。

「還差一個結尾。」

「沒寫完妳泡酒吧？」

「我……」

「妳做過功課嗎就來逛酒吧？」

「什麼？」

欒念真的要被她氣死了，酒吧是什麼地方，是她這種沒腦子的人來逛的？跟兩個男人？其中一個還是外國人？連自己的水都不帶？她剛來北京幾天就隨波逐流了？

但這跟他沒關係，他只關心他的報告：「今天晚上十二點前把報告寄給我。」

「不是說明天？」

「讓妳明天妳就明天？妳不給我時間改？」

「我馬上回去改。」

不就是因為我撞見你的好事了嗎？又刁難我。尚之桃忿忿地想。她這人沒城府，她以為她心裡想的藏得很深了，卻被欒念看得透透的：「妳在心裡罵我？」

「沒有沒有。」尚之桃頻頻搖頭，更顯心虛。

「報告上一個錯別字都不能有。」

「嗯嗯好。」尚之桃眼睛亮晶晶的，在夏日晚風中看著欒念，不知不覺講了句蠢話：「Luke 您別擔心，我什麼都不會說的，我一定替您保密。」

「保密什麼？」欒念聽到她這麼說，雙手插進口袋裡，靠在酒吧外牆上好整以暇看著她。

「就是你的……女朋友們……」她特地加了個「們」字，心虛地看了欒念一眼。她也覺得自己奇怪，是他濫交又不是自己，她心虛什麼？八成是抓住老闆的小辮子令她惴惴不安了。

欒念突然笑了，嘴角動了動：「行，妳替我保密。我這人沒別的愛好，就好色。讓別人知道，我就找個藉口開除妳。」

「您放心！」尚之桃忙舉起手指發誓：「我以我的人格擔保，我絕對不會說出去。」姿態很誠懇。

蠢蛋。欒念在心裡罵她，轉身進了酒吧。

「去這麼久？」

「排隊。」欒念順口胡謅。

「朋友，我剛去了，洗手間一個人都沒有。」譚勉戳穿他。

他也不解釋，坐在那喝酒聽歌。偶爾瞟尚之桃一眼，她倒好，坐在那笑嘻嘻與人聊天，沒有要走的意思。

尚之桃跟龍震天說著話，察覺到有人在瞪她，一眼又一眼，真煩人。她不得不拉著孫遠翥跟龍震天告別，出了酒吧。

到了家沖個澡就開始寫報告，趕在十一點五十五分的時候寄給了 Alex 和欒念，而後各傳了一則訊息給他們。

Alex 很詫異：『這麼早寄？』

『給老闆們留時間修改。』

『只是看一下專案進度，不需要修改啊。』

「……」

幹。欒念這個渾蛋，尚之桃躺在床上生氣：那酒吧多好玩呢，歌唱得也好，卻被 Luke這個王八蛋連恐嚇帶威脅的把她趕回了家。

過了很久，欒念回了郵件給她，寫了三點改進意見，對，三點——

『一、專案經費清單加上每一項的回收預估——之前做過。』

『二、專案各分項，專案負責人及考核指標加上。』

『三、突發情況及應急方案，加上。』

『明天寄給我。』

尚之桃打開自己的報告來看，這些她都沒寫，欒念給的意見很中肯。他雖然很討厭，但是每次給的意見都直擊要害，像一個性格嚴肅卻總能帶出高分學生的老師。

她從床上爬起來，按照欒念給的意見改報告。她並沒有發覺，自己已經變成了一個工作狂。如果有待辦事項，她會睡不著，並且反反覆覆地想。

這一改，就改到凌晨三點。又重新寄了郵件，突然覺得無事一身輕，剛要閉上眼，卻收到欒念的訊息：『這次好多了。』

這次好多了。

尚之桃有點開心，得到表揚的感覺真好。她回：『我會繼續努力的，謝謝 Luke。』

又加了一句：『您怎麼還不睡？』

欒念回她一句：『夜生活。』

夜生活個屁，他從酒吧出來就叫代駕回家了，晚上喝了點小酒反倒有點興奮，又有點無聊，看了一下美劇，又看了一下書，但就是睡不著。

唯一的樂趣就是幫尚之桃批改作業，並且知道她一定會爬起來改完。他可怕的掌控欲在尚之桃身上發揮得淋漓盡致，突然覺得像尚之桃這樣沒什麼個性聽話的女人也挺好。

尚之桃雖然笨，但執行力強。用 Tracy 的話說：她有責任感。

她改完的方案仍舊像屎一樣，距離欒念的標準還差很遠，但他卻回了一句：這次好多了。為什麼呢？大概是為了避免員工猝死。難得有了一點慈悲。

『哇，夜生活。那我不打擾您啦，晚安 Luke。』

這個哇字用詞考究，含義頗豐，欒念甚至能想像出尚之桃那張八卦的臉，還有她根本不會隱藏情緒的臉，一定清清楚楚寫著：嘖嘖，衣服脫完了吧？

欒念破天荒回了一句：『晚安。』而後將手機丟到一旁，睡了。

尚之桃一直睡到中午，想起昨天欒念指導她寫報告，意識到自己還沒真正了解過報告怎麼寫，於是抱著電腦去了客廳。室友們正在小聲聊天，看到尚之桃出來問她：「妳終於起床了。」

尚之桃不好意思地笑笑，將電腦放在桌子上，轉身去洗漱，都收拾好了才坐到桌邊：

「我想請教一下幾位前輩。」

「什麼?」張雷問她。

「我不會寫工作報告……」尚之桃有點害羞：「大家都比我有經驗，可以跟我講講工作報告應該怎麼寫嗎?」尚之桃被自己的勤奮和上進嚇到了，但凡她讀書時能有這股勁頭，總能考上頂尖大學的吧?不好好讀書，在工作中被吊打，這不是活該嗎?

張雷忙舉手做投降狀：「這個我不行，妳遠翥哥哥行。」

「都行都行。」尚之桃謙遜好學，一雙真誠的眼看著大家：「我想學的有很多，我的升級之路還遠著呢!」

孫雨銷售出身，站起身環住尚之桃肩膀：「要不然姐姐教妳喝酒吧?」

大家哄笑出聲。

這間屋子裡的笑聲令人記了好多好多年，十年後，三十二歲的尚之桃來北京辦事，特意約了孫雨在這附近喝了一次酒，彼時的孫雨已經是婚戀行業的大神，妝容精緻，張口就是幾千萬投資。她喝多了指著樓上的燈光對尚之桃說：「要不然我買下這裡吧?」

別了。

尚之桃抱著她，她們在北五環的街頭失聲痛哭。

第五章　值得獎勵

「Luke 的任命下來了。」

尚之桃聽到 Kitty 跟 Grace 說。

「在哪？」

「公司郵件群組。」她們的聲音裡有掩不住的雀躍。職場就是這麼現實，上位者的員工會獲得更多機會，升職、加薪、部門權重增加，那時尚之桃不懂這些，只以為她們是在替欒念開心。在她心中欒念是值得的，不是他還能是誰呢？

尚之桃之前聽大家講過欒念會被任命，但任命到什麼職位大家沒細說。她打開郵件，看到了 Tracy 代表董事會寄的任命通知。看著看著，她的臉色就有點不好。

從前她還心存僥倖，Luke 即使看不慣她，但她不是他下屬，他手伸不了那麼長。這下好了，整個凌美中國區都得聽他的了。

尚之桃突然覺得自己岌岌可危。下意識看向欒念辦公室，又笑自己犯傻，他出差了，已經一週不在了。

「怎麼了？不舒服嗎？」Lumi 看她臉色不好，湊過來問她。

尚之桃搖搖頭，指指那封任命郵件，壓低聲音問Lumi：「這下Luke是不是能名正言順開除我了？」

Lumi點點頭：「可不是？」Lumi故意板起臉一臉嚴肅逗她。

尚之桃慘白著一張臉：「那我怎麼辦？」

Lumi笑出聲：「看把妳嚇的！」一把摟過她肩膀：「他上任後要處理的工作多著呢，哪裡就輪得到要開除妳這個小小新員工啦？」

他平常工作也很多，不是一樣得空就訓我嗎？尚之桃心想。

「聽我說，Alex對妳很滿意，我也對妳很滿意，過去兩個月，我們給妳的輪崗評定是A。他要開除妳也得有理由對嗎？」

「我的評定是A嗎？可我覺得我太普通了。我看到Kitty他們的表現都非常優秀。」

「您沒事吧？他們表現好不好要Luke評，是Luke直管他們。每個部門的用人標準不一樣。」

「哦……那我是A，他就不能開除我嗎？」

「除非妳犯巨大的錯誤。」

尚之桃的心放下了一點，又強迫自己收心去處理手中的供應商報價單。

這一收心就收到了半夜，終於把那一堆資料整理完，然後拿起手機，竟然看到欒念在十點鐘傳給她的訊息：『我知道妳還在公司。去我辦公室，在我抽屜裡有一個USB，幫我拿出來送到這個地址。』欒念傳了一個餐廳的位置，可那已經是兩個小時前的事情了，現在是週五晚上的十二點。

尚之桃回他訊息：『對不起 Luke，我剛剛在處理報價單，剛才看到。我現在送過去給您嗎？』

欒念的電話打了過來，尚之桃聽到那頭有風聲：『換一個地址。妳記一下。』欒念講話聽起來跟平常不一樣，有點奇怪。尚之桃忙拿筆記下一個地址：「我送到這裡嗎？」

『嗯。』欒念掛了電話。

他喝多了。

今天不知道喝了多少酒，Tracy 說公司任命下來，管理層有必要聚餐。欒念從機場趕到聚餐的地方，參加了一場無聊的酒局。無非是表面功夫的表示決心，看起來其樂融融。欒念討厭這種無聊的酒局。

無聊，卻一定要喝很多酒的酒局。

他到了社區門口不忘叮囑保全：「等等一個叫尚之桃的來送資料給我，讓她進來。」大半夜送什麼資料？別墅區的保全對裡面業主的私生活見怪不怪了，送自己吧？保全心想。尚之桃到的時候已經快一點了，保全送她到欒念的門口，按響了門鈴就走了。

周圍一片安靜，別墅區綠化好，夜裡能聽見很多蟲鳴，還有風吹過萬物發出的聲響。原來 Luke 這麼富有。在尚之桃心裡這就是富有了，她遠不知真正富有的人是什麼程度。

欒念過了五分鐘才來開門，他剛洗了臉漱了口，能勉強保持清醒，開了門後斜靠在門框上，朝尚之桃伸出手：「辛苦。」

「沒事沒事。」尚之桃將那個USB放在他掌心：「那您快休息。」

「叫車了嗎？」

「沒有。」

欒念哪怕醉了都覺得尚之桃沒腦子，心想大半夜妳不叫車走回去？

「妳進來等我。」

「是不是不方便？」孤男寡女，他又是他老闆。

「妳有病吧？」欒念醉酒格外刻薄：「妳現在脫了看看我對妳感興趣嗎？」他徑直走進去，重重摔進沙發，拿起電話的手並不穩，長舒一口氣打給保全：「幫我攔車，攔到了告訴我。」

尚之桃站在那無所適從，欒念微閉著眼睛對她說：「坐著等。」

他呼吸有點重，喝太多酒真的太難受了，抓起手邊的水猛喝了幾口，放杯子時手沒放準，尚之桃慌忙上前接住水杯：「您還要喝點水嗎？」

「嗯。」

她拿起水杯看了四周，終於找到了廚房，跑進去裝了水，出來時欒念已經睡著了。斜倚在沙發上睡的，這姿勢可不舒服。

尚之桃費盡力氣將他的腿移到沙發上，又上前托住他的頭，手指觸到他脖頸上的肌膚，滾燙。尚之桃的心騰地跳了一下，一雙手放也不是繼續也不是。

欒念眉頭皺了皺，她橫下心來用了力，將他的頭抱在臂彎，向他頭下塞了個靠枕，而後撤出手臂。低下頭看到欒念微紅的臉，有別於平常的嚴肅和冰冷，異常好看。

尚之桃有點看呆了。

果然女人也都是好色的，如果妳沒被蠱惑，一定是那個人不夠好看。她將眼移到一邊，強迫自己忽略心頭的慌亂，看到在他的客廳裡，有一個巨大的水族箱，裡面只養著一條孤零零的紅色的魚。尚之桃也不知道那魚叫什麼，只是覺得好看。她站起來仔細看了一下那魚，牠被困在這個大缸中，明晃晃占了一面牆，有一種講不出的孤獨的美感。

電話響了，她跑過去接起，聽到保全說：『欒先生，車攔到了。』

「謝謝。」

尚之桃掛了電話，隨便找了個東西蓋在欒念身上，逃也似的出了他家。

明明是一個普通的夜晚，卻因為去了欒念家一趟而變得不同。她就像剛從海中上岸的人魚，對人世間的一切都充滿好奇，又遇到那個人，令她覺得新奇的人。

這怎麼能行呢！

尚之桃胡亂搖頭，人間太可怕了，美人魚最後失去了一切。

她躺在床上，無論如何也睡不著。突然想起她和辛照洲分手的那天，辛照洲說：妳要北上，我要南下，我們都有不可推卸的責任。我只有祝福妳，別被殘忍的社會吞沒。

這一夜她少見的睡得不好，女孩本來不是心事很重的人，突然在這一晚有了心事。說不清道不明的。

是在第二天上午被電話吵醒，她閉著眼接起，意識還沒甦醒，啞著嗓音講了句：「您好？」

『昨晚幾點到家的？』是欒念。他睜開眼睛想了很久，終於想起他讓尚之桃送東西給他，他覺得自己過分了，大半夜讓一個女生送資料給他。

尚之桃被這個聲音嚇醒了，騰地坐了起來：「我、我不到兩點到家的。您家裡東西不會被偷了吧？」她第一個念頭就是欒念家裡東西被偷了，不然他打電話來做什麼？

『被偷了。保險櫃被撬了。』

幹。

尚之桃的太陽穴跳了跳，疼了起來。她想了想自己走的時候究竟有沒有關好門呢？應該是關好了……吧？她不記得了。

「您被偷了什麼重要物品了嗎？」

『鑽石被偷了。』

「那……不是我拿的……我不知道您保險櫃在哪啊……」尚之桃一邊說一邊去想，終於找回了一些冷靜：「您家裡應該有監視器吧？要不然您調一下畫面看看？」

欒念聽到她聲音有些抖了，意識到尚之桃缺乏幽默感，如果他再演下去，她可能會哭死，『逗妳的。』

「……」

尚之桃又在心裡罵他，有病嗎？她想罵出來，突然想起從昨天起，欒念是整個凌美中國區的老闆，她人在屋簷下不得不低頭。於是把罵人的話嚥了回去，卻也不再講話。

『昨天晚上辛苦了。』欒念總算講了句人話：『資料很重要，我等等要傳給相關項目負責人。』

重要？你大可自己開車去公司取啊。尚之桃心中叨念一句，嘴上卻說：「應該的應該的，能為公司做點微不足道的小事我很開心。」

聽筒裡傳來欒念的笑聲，這笑聲令尚之桃一愣。他笑什麼？

欒念笑她演技拙劣的馬屁，和骨子裡的那一點謙卑：『妳怕我開除妳是吧？』

「誰不怕啊？」尚之桃有點委屈：「我問過 Kitty 他們，您都沒讓他們換工作。」

『妳提醒我了，我覺得他們也不大行。不如後天你們幾個手牽手辭職？』

「哈？」

『哈什麼？』欒念難得與她多講幾句：『我問妳，妳怕什麼？怕從凌美離開找不到更好的工作？』

「我本來就是誤打誤撞進凌美的。」

『妳自己知道？』欒念終於逮到了機會：『Tracy 是妳什麼人？』

「Tracy？Tracy 就是 Tracy 啊……」

欒念剛上任，公司裡複雜的人際關係也是他上任後要做的工作。Tracy 一直硬挺尚之桃，這令他好奇她們之間的關係。但從尚之桃口中很難套出什麼消息，欒念放棄了。

他想起ＵＳＢ裡還有一些他懶得整理的無關痛癢的資料，於是對她說：『妳今天有私人安排嗎？』

「我沒有。」

『那妳加個班吧。回頭找妳的 Tracy 報備加班費用。』

尚之桃第一次聽說加班竟然有加班費，傻傻問了一句：「加班有錢拿？」

『不然？』

「加！」尚之桃突然來了精神：「我馬上加，您說讓我幹什麼，我馬上就幹！」誰沒事跟錢較勁？

欒念被她突如其來的熱情搞得一愣，這麼窮？

『我給妳個地址，妳去那裡等我。妳必須當著我的面處理資料。』

無關緊要，卻是涉密。

「好好好。我這就出門，您說去哪？」尚之桃跳下床，又問了一句：「我們加班費是按小時付嗎？」

『？』

『按秒付。』欒念講完地址掛斷了電話。

尚之桃快速刷牙洗臉，套上一件寬大T恤就出了門。欒念傳來的地址是一家咖啡廳，裡面人很多，她到的時候他已經到了。坐在裡面的角落，一抬眼就能看到整個咖啡廳。

欒念看了不修邊幅的尚之桃一眼，猜她這輩子可能也就這樣了，一張臉素面朝天，到哪都不出挑。

「坐這。」欒念指指他旁邊的位子，尚之桃坐下去，看到欒念將那盤巧克力鬆餅推到她面前：「沒吃早餐？」

「沒有。」

「吃完再工作。」

他今天過於和氣了，尚之桃甚至覺得他是不是被什麼奇怪的東西附身了。尚之桃真的餓了，但只吃了幾口就放下了。

「減肥呢？」欒念突然開了口。

「不是……我餓的時候甜食吃多了會噁心……」尚之桃有點不好意思，她不是挑食的人，卻還是有一點小毛病：她餓的時候不能吃那麼多甜食。

「現在還餓嗎？」

「不餓了。」

「那幹活吧。」欒念將USB從電腦裡拔出來遞給她：「Q4專案盤點資料夾複製到妳電腦上。」

「好。」

尚之桃速速複製了，然後等欒念發話。

「做資料整理，對比Q3做客戶新增對比、簽約金額環比、服務專案篩查，透視出資料結果，寫結論。我講清楚了嗎？」

「講清楚了。」尚之桃速速開始做，欒念在一旁看了五分鐘，尚之桃還有一個可取之處：她很會用辦公軟體，資料公式全部親自寫的，功底很扎實。再看她工作的時候，嘴唇緊抿，一心一意撲在電腦上，外面的一切都與她無關。

欒念低下頭，繼續處理他的工作。

尚之桃將基礎資料整理完，又順手整理了每一個銷售員的資料。凌美的銷售部可謂王者之師，他們的銷售業績在行業內算翹楚，即便這樣，這些銷售員的資料放在一起也能看出各種問題，比如簽約週期、簽約金額、同意客戶的不同合約服務內容，尚之桃不懂，皺著眉頭思考很久。

「怎麼了？」欒念見她有一陣子沒打字，問她。

「我不大明白，這個合約，明明五月份就開始首次報備了，但是七月一日才簽，還有這個。每個銷售員都有這種情況。」

「想不明白？」欒念問她。

「想不明白。」

「結合KPI（關鍵績效指標）去看。」欒念提醒她，然後又去看自己的電腦。

欒念永遠是這樣，他不會直接告訴尚之桃答案，而是要她自己去想。尚之桃打開KPI表格，認認真真看了很久，她好像看懂了一點。於是輕聲問欒念：「我看到他們Q2的任務都超額了一點，所以這些客戶留到Q3嗎？」

欒念嘴角動了動：「還不算太笨。」見尚之桃哦了聲，又問她：「如果是妳，妳怎麼解決這個問題？」

「我不知道。」

「長腦子幹什麼的？想。」

「哦。」

尚之桃又認認真真的想，可她沒做過銷售管理，但她這兩個月一直在做市場預算管理，有的專案預算超了，會留到下個月或下個季度去花，這都是潛規則。而凌美的銷售激勵，百分百達成業績就能拿到全額獎金。

她想了很久，嘗試著問欒念：「把任務調高一點？」

欒念聽到這句笑了：「直接調任務嗎？妳信不信他們明天就一起辭職？」

「哈？」

「哈什麼？」欒念闔上電腦，拿過尚之桃做的表格仔細看了，沒有資料錯誤，分析邏輯也清楚：「這部分工作可以交差了。」

「好的。」尚之桃應他一句，但坐著沒動。

「不走？」

「剛剛的問題還沒有答案呢。」

「用妳的加班費抵扣學費。」

「那不大好吧？」尚之桃聽說要把自己的加班費扣回去，忙討價還價：「要不然等您工作日有空再教我，我也沒有那麼急。」

光明正大為五斗米折腰。

生存的韌性。

欒念突然想到這個詞，尚之桃身上有實實在在的生存的韌性。她無意間抓到了好牌，戰戰兢兢怕輸了這一局，努力在這其中去尋找一種平衡手段。

「銷售階梯獎勵，不單一制定任務完成，將他們的業績按區間制定。厲害的人可能拿到更多，差一點的人則會變相降薪。公司可以透過這種手段實現對人才的識別、激勵以及淘汰。這是答案之一。」欒念說道：「妳如果感興趣，就去請教妳的 Tracy，我昨天下午電話跟她談過。」

「哇，這樣啊，厲害。」尚之桃學到了知識，覺得無比開心，她誇讚一句，又覺得欒念的口吻不對：「我的 Tracy 是什麼意思……為什麼 Tracy 是我的……」
欒念拒絕與她討論，看了時間一眼，已經下午五點了。就問尚之桃：「妳還餓嗎？」
「餓。」她如實回答。
「走吧，去吃東西。」
去吃東西？欒念請嗎？她要吃到老闆請的飯了？因為她週末加班？還是因為她過分可愛？不對，她怎麼敢讓老闆請客？她不想幹了？
尚之桃頭腦裡念頭多，想想自己這個月的餘額，終於忍不住說道：「我們ＡＡ嗎？」
欒念裝電腦的手頓了頓，抬頭淡淡看了尚之桃一眼：「妳跟妳老闆ＡＡ？」
「那不然……」
「妳請。」
欒念丟下這兩個字向外走，表情真是嚴肅，能看出他是認真的。尚之桃跟在他身後，心想我可不能打腫臉充胖子，老尚說過，人際交往，合則聚，不合則散。哪怕你是我老闆，你也不能狠宰我。
兩個人出發，尚之桃看欒念的車開往她不熟的地方。確切的說她除了公司和家附近，對北京都不熟。
「有忌口嗎？」欒念見尚之桃不講話，心想這傻子真的被嚇住了。她到底什麼時候才能學會隱藏心事和情緒，不把那點戰戰兢兢和不屈擺在臉上。

「沒有。」

「那我們去吃魚。」

「嗯？」

欒念也不再多說，一心一意朝山上開。他在山上有一家常去的魚莊，現撈虹鱒魚，鐵鍋燉了，十分入味。

山上路黑，沒什麼燈，欒念開得慢，又緩緩在路邊停了車。看到尚之桃睜大了眼睛，幽幽問她：「怕我殺人拋屍嗎？」

「……」

尚之桃一愣，想起欒念平時那清冷的性格，真挺像殺人拋屍的連環殺手。於是故作鎮定說道：「我出門前跟我室友說過，我找老闆加班。我也把您的聯絡方式告訴我室友了。」

「真的！」尚之桃又加了一句，拿出自己的手機給欒念看，她沒有說謊，她將欒念的電話號碼傳給了另一個號碼。

一個女孩獨自在外闖蕩，最基本的自我保護意識是生存的基礎。尚之桃並不像她看起來的那麼傻。

「那妳今天逃過一劫了。」欒念挑了挑眉，不再嚇她。

「那我們繼續出發嗎？」

「等等。」欒念眼睛不舒服，從手邊拿出眼藥水滴上，而後閉著眼睛小歇。

「您眼睛不舒服嗎？」

「乾眼症。」

「哦……」尚之桃一直以為欒念無堅不摧，可他這樣的人也會有常人的煩惱，比如乾眼症。

「我爸也有乾眼症。」

「然後呢？」

「然後他就不看電腦了，換了一份工作。」

「所以妳覺得我適合換什麼工作？」

「……」

欒念真不是一個容易聊天的人。用大翟的話講：有些人就是嘴賤。欒念休息了幾分鐘繼續開車，他們到山上的時候天已經黑了，魚莊掛起了紅火的燈籠，熱熱鬧鬧。

老闆認識欒念，遠遠迎上來：「欒總來了？」

「來吃魚。」欒念對老闆說：「老樣子吧。」

「好嘞。」而後老闆對尚之桃笑笑：「您好。」

「老闆好。」

尚之桃有點侷促，那老闆看欒念的眼神好像她是欒念什麼人。等老闆走遠，尚之桃有些遲疑的說道：「要不要跟老闆解釋一下？」

「解釋什麼？」

「解釋我不是您女朋友……」

「妳看起來像我女朋友？」欒念被尚之桃氣笑了，她腦子裡裝的都是什麼男盜女娼，吃個飯就是男女朋友了？是她自視甚高還是對他不夠了解？

「我不像嗎？」尚之桃不服氣。

「妳像嗎？」

「……」

什麼人吶！

魚莊後面有一個長廊，兩人等魚的時候去長廊裡坐著，一人坐一邊。

尚之桃收到孫雨的訊息：『怎麼還沒回來？』

『吃個飯就回去。』

『沒為難妳吧？』

『沒有。』

『那就行。』

尚之桃收起手機，側過臉看欒念，又想起昨晚指尖奇怪的觸覺，就微微紅了臉。她分不清自己動的是色心還是凡心，無論是什麼心，欒念好看的皮囊就在她旁邊，這令她有一點無措。

「會開車嗎？」欒念拿起酒，尚之桃不會喝酒，剛好可以開車下山。誰知看到尚之桃搖頭：「我不會。」

欒念心裡是有一點飄忽的，平淡無奇的尚之桃坐在他對面，竟然有一點下酒，如果再細細品味，還能察覺到一點風月無邊的感觸。

在廣州偶有的那一次怪異的欲念，此刻又有一點滲進身體裡。

「……」

欒念將酒放到一旁，跟老闆要了一瓶可樂，幫尚之桃倒，又為她挑了肉質最肥美的一塊魚，後者有點受寵若驚，慌忙開口道謝，卻聽到欒念說：「感謝妳請我吃飯。」

哦。尚之桃掙扎在溫飽線上，其實是有一點吝嗇的，如果可以讓她選，她首先不會跟欒念一起吃飯，如果一定要吃，她會選一家好吃不貴的路邊攤。反正大家都是要生活的，欒念來體驗一下人間疾苦也不奇怪。

「不客氣，應該的。」儘管她那樣想，卻還是客套一句，吃了口肉，覺得自己這飯不能白請：「您跟我一起吃飯，是不是就代表您覺得我還行，可以留在公司觀察啦？」

「我上次跟一個同事吃完飯，並沒影響第二天公司解僱他。」

「您別嚇我。」

欒念看她一眼：「妳不考慮學開車嗎？妳大概是淩美第一個不會開車的人。」

「我之前去駕訓班報名了。在背題。」

「好好學。我擔心妳學不來。」

「那不能。」

尚之桃咧嘴笑了，一張臉被魚鍋熏得紅撲撲的：「您常帶女朋友們來這裡吃飯嗎？」

「妳問題常這麼多嗎？」

「嘿嘿。」

欒念不理她，兀自吃飯。他昨天喝多了酒，今天沒正經吃飯，這時終於覺得胃裡不空了。不餓了，心情自然也好了一些，和顏悅色了一點。於是也順著尚之桃的腦迴路問她：

「那妳呢？平常休息的時候跟男朋友做什麼？」

「我沒有男朋友呀。」

「酒吧那個？」

「那個是我室友。」

「妳室友看起來不錯，可以嘗試交往。」

「我室友真的很厲害。」尚之桃由衷誇獎孫遠翥：「他什麼都會，而且脾氣很好，經常幫助我。」

「怎麼幫助妳？幫妳什麼了？」

「就是……日常小事，事無鉅細……還陪我去駕訓班報名……」

「所以對妳們女孩來講，這就是好的標準？」

「作為朋友……難道還不夠好嗎？」

「做朋友夠了，做男朋友還需要努力。」欒念逗她。

尚之桃聽到欒念這樣說，還真的認真思考了一下：「所以您對女朋友們很好？」她也是伶牙俐齒的，幾口魚肉下了肚，忘記自己姓甚名誰了，敢跟欒念叫板了，那個「們」字真是故意的。

欒念看她哽著脖子，大有與他雄辯一番之勢，終於笑了。尚之桃不膽怯的時候，其實還挺好玩的。

她不僅人挺好玩，飯量還挺大。

「不怕胖？」

「我餓了……今天只吃了這一頓飯。」有點可憐。

欒念也覺得她挺可憐，又將另一塊肉夾給她：「吃吧。」

他們兩個飯吃得還算愉快，快吃完的時候尚之桃對欒念說：「我去洗手間。」偷偷去結帳。這個禮儀她懂。

「那一桌多少錢？」尚之桃問老闆。

「五百三。」

還好。尚之桃心想，欒念還算是個人，沒有狠宰她：「我來結帳。」

「不用結帳，欒總在這裡辦了一張卡，存了很多錢。剛剛撈魚的時候他沒說從卡裡劃？」

「啊？」

尚之桃有點震驚，想起欒念面無表情的說：妳請。他隨便說的，她當真了。尚之桃覺得自己有點傻，她竟然看不出欒念講真話還假話。她向來分不清欒念話裡的真假。

她回到餐桌前，坐到欒念對面，清了清嗓子：「Luke。」

「什麼？」

「下次一定讓我請您。」

「還有下次？」欒念臉上是「妳認真的？妳還想讓我再跟妳吃一次飯」的表情。

「反正我是認真的。」尚之桃知道自己看不透欒念，所以先表態：「我是認真的。」

「那妳準備請我吃什麼？」

「我回去好好研究一下？」

「別研究了，我還有很多女朋友『們』要約，今天是例外。」欒念說罷站起身：「回去？」

「好的。您把我放到山下好攔車的地方就好。」

「這麼懂事？」

尚之桃的懂事令她看起來是一個很見外的人，在人際交往中很怕會給別人添麻煩。欒念不喜歡女人這樣，他更喜歡女人直接。懂得要強，也懂得示弱。比如這種場合就該對他說

「要麻煩你送我回家了」。

可尚之桃不懂這些，她還不懂應用自己的性別優勢。

欒念不再與她討論該將她放到哪裡，只是慢慢將車開出去。出了魚莊就是一條下山路，尚之桃看車窗外，隱約看到天上繁星。哇了一聲。欒念看了看她，將車停在觀景區，車窗搖下，周圍一片漆黑。

尚之桃將頭探到車窗外，看到了天上的星星。那麼美的星星，是她在忙得不可開交的日子的一點獎賞。

欒念下了車，倚著車仰頭看了一下。尚之桃並沒跟下來，她的分寸感在此刻體現得淋漓盡致。她不能站在欒念身邊看星星，那是情侶該做的事，而他是她的老闆。

她知道這其中的差別。

兩個人各自欣賞了一下，才繼續開車下山。欒念徑直向尚之桃家的方向開，尚之桃後知後覺，快到她家她才發現欒念的善意：「謝謝您啊 Luke。」

「沒事。後天記得找ＨＲ申請加班費用，妳線上提，知會人填我。」

「好的，謝謝。」

欒念停了車，看著尚之桃的身影消失，這才往回走。

只是普普通通一起加了個班，尚之桃卻覺得她對欒念的感覺發生了改變。她堅定的認為欒念是一個好人了，只是他嘴很壞。一個尖刻的好人。

她想起欒念，又覺得他可真是一個怪人。

孫雨敲門進來，眼睛通紅。

「怎麼啦？」尚之桃問她。

孫雨搖搖頭，坐在尚之桃床邊：「我跟妳聊一下好嗎？我有點難受。」

「妳怎麼啦？」尚之桃將她拉到床上，兩人面對面坐著。貴州女孩一面對尚之桃，就落了淚：「我分手了。」

「昨天不是還要說今天去他那嗎？」

「他跟我說不用去了。」孫雨哭了出來：「妳知道嗎尚之桃，我失業了，新工作還沒找到。他工作很好，我一直覺得我們之間不平等。他跟我說覺得我們之間共同語言越來越少……其實就是覺得我差勁。」

「可妳不差勁啊……」尚之桃不知道該怎麼安慰孫雨，孫雨多好啊，那麼好看的貴州女孩，又那麼聰明，怎麼就差勁了呢？

「妳還不知道，北京是一座很現實很殘忍的城市。」孫雨太難過了，她付出了感情，可別人卻把她的感情放到天平上去秤，她的感情被明碼標價了。

尚之桃聽她這樣講，心裡也很難過。

她讀書時談過的那場戀愛沒有沾染世俗，那時她和辛照洲吃學校旁邊的小吃，坐公車去公園，又或者她坐在籃球場邊等他，那時他們想的只是愛不愛，而不是這愛情值多少錢。

即便他們後來分手了，也是帶著善意彼此祝福。

「也說不定還會和好呢……」尚之桃不會勸人，只能去挑一種好的可能：「會不會過兩天他忽然意識到，還是妳最好……」

「然後在遇到更好的人以後再離開我一次嗎？」孫雨哭得更厲害：「我永遠不會給他這樣的機會了。」

孫雨心疼得跟什麼似的，從前所有的好都變得不真實。她以為他出差、Team building只是工作需要，直到今天才明白，那不是工作需要，是他自己需要。他需要用這樣的方式，讓他們之間冷下來，直至分手。

成年人真是太醜陋了。

尚之桃將肩膀借給孫雨靠，她有些茫然，姚蓓對她說如果要戀愛，找條件好的，少吃點苦。尚之桃對物質生活沒有什麼大的欲望，也不知道條件好的到底是指什麼。

她陪著孫雨很久，聽到孫雨開始擦眼淚，而後坐直身體：「妳知道嗎尚之桃，我突然間明白，去他媽的男人，我得靠自己。只有自己夠強，男人才會追著妳跑。不然他們永遠不會懂珍惜。」

尚之桃忙點頭：「對！我們要強大起來！」

像是誤入了直銷團隊，看起來很激昂。孫雨破涕而笑，指尖點了點尚之桃腦門：「妳激動什麼？」

「我也要強大！」

尚之桃想，等自己強大了，就不怕欒念每天嚷嚷著要開除她了。等她強大了，把辭職信拍到欒念桌子上對他說：「老娘不幹了！」

這情形想想就有點痛快，不，十分痛快。

尚之桃根本沒有意識到，欒念盤踞在她心中的一個小角落裡，逼迫著她前行。

「那妳今天跟那個討厭的老闆加班還愉快嗎？」孫雨光顧著哭，忘記問尚之桃。

「還好啊，他除了嚴肅一點，人倒是不壞。他還請我去山上吃魚。」尚之桃把今天發生的事跟孫雨講了，孫雨聽著聽著神情變了：「尚之桃，妳那個老闆不會是想潛規則妳吧？」

「什麼？不可能，他有很多女朋友的⋯⋯」

「男人，尤其是有錢男人，從來不怕女朋友多，他們只想征服下一個。」

「不能不能。」尚之桃擺手：「我見過他在廣州的女朋友，跟世界小姐一樣。」

「那又怎麼樣？不排除他想獵奇。再說了妳身材這麼好。」

尚之桃臉紅了：「妳別胡說了，他不缺女人，我對他也不感興趣。」

「妳確定嗎？」

「我確定。」尚之桃講完又思考了一下下，不對，她對欒念太感興趣了，她想跟欒念做點什麼。

那欒念對她呢？尚之桃不確定，她晚上又失眠，將今天與欒念相處的種種仔仔細細想了一遍，越想越覺得孫雨說得對，他就是想潛規則我！

尚之桃騰地從床上坐了起來！

***

尚之桃走到公司門口，看到欒念從咖啡店向外走，撒腿就跑。

可不能給老闆機會潛規則我，我對他動心思，那只是想想而已，他想睡我，那就是要動真格的了。

雖然我可能因此得到重用，但我會失去人格。但受到重用似乎也不錯？

尚之桃那並不算太好用的腦子裡滿是亂七八糟的念頭，她一邊跑一邊被自己逗得噗哧笑出聲。

她跑得快，刷了卡衝進電梯，速速按了關門鍵。到了工位將背包往身旁一放，整個人縮了進去開始工作。

她一個小人物，欒念也不會總派事情給她。新的企劃部負責人馬上就要到職了，等新負責人到，Lumi和尚之桃就徹底不用對接欒念了。尚之桃滿心期待這一天。

好像欒念是洪水猛獸。

欒念從咖啡廳出來，看到尚之桃撒腿跑了，不知道她又犯什麼傻。到了公司看到空無一人，他在辦公室，尚之桃在外面。尚之桃每天都第一個到，欒念有點讚賞她的勤懇了。有的人勤懇是三分鐘熱度，一旦那人覺得處境安全了，就會懈怠；有的人勤懇是終生的，無論什麼時候，都會有始有終。尚之桃應該屬於第二種人。

在昨天的工作彙報中，Alex 介紹市場部的工作，講到用人，特地提到了尚之桃。說他們準備跟她談結束輪崗的事。換句話講，尚之桃順利轉正了。

Alex 講這些時，Tracy 一直看著欒念。她以為欒念會像從前一樣反對，但他頭都沒抬，好像 Alex 彙報的工作與他無關。

Tracy 有一點納悶，她問欒念：「Luke 不發表意見？」

「妳一手遮天，我可不敢。」欒念陰陽怪氣。Tracy 是總部直接任命的人力資源總監，無論誰做凌美中國區負責人，都要忌憚她幾分。欒念不忌憚她，但欒念不忘記嘲諷她。

「我以為你不發表意見是因為認可尚之桃的能力，以及我的眼光。」

「我不發表意見單純就是因為尚之桃是妳的人。」

「尚之桃不是我的人。」Tracy 回答。

欒念卻聳肩，表示這個溝通沒意義。他對誰轉正根本不感興趣，他現在的緊要任務是處理銷售團隊的新績效模型。凌美的銷售團隊都是業內的大咖，這個團隊從上到下充滿傲氣，不好管。他們能完成任務，卻也把客戶壓在手裡，致使業務沒有大的突破。欒念與 Tracy 談過改革，Tracy 就一句：「團隊汰換率控制在百分之三十。不然你的三百六十度考評我肯定給你差評。」

欒念知道 Tracy 是認真的，她需要團隊穩定，如果出現大規模人員異動，她是要背責任的。

「那尚之桃轉正流程我正常走了。」Tracy 又說道。

「別人轉正妳怎麼不問我？」

「沒辦法說，我們能不能就尚之桃的事情理性溝通一次？你總板著一張臉，員工談話的時候大家都說怕你。」

欒念不在乎這些繁文縟節，尚之桃轉不轉正對他沒有影響，別人怕不怕他也不影響心情，因此也就不再與 Tracy 討論。

尚之桃不知道這些，她要被外派了。派到一個山區，跟進一個廣告片的拍攝，俗稱打雜。市場部總要在這個時候派人出去，大家看看那個地方，都嘖嘖一聲不肯去。那地方現在已經開始下雪了，山區又冷又陰，老鼠有三十公分長，別說女生了，就連男生都不敢去。有人偷瞄尚之桃，覺得她還沒轉正，應該接受這個考驗，也隱隱希望她能挺身而出。尚之桃接收到了這個目光，真的挺身而出了：「要不然……我去？只是我沒跟過，不知道該做什麼。」

「妳去？妳懂什麼？這活我看男同事去最合適。」Lumi 一邊剪指甲一邊在桌下踢尚之桃，這女生有病吧？看不出別人在欺負她？

「妳什麼都不懂，這可是我們最大客戶的案子，萬一搞砸了呢？」Lumi 又加一句：「搞砸了大家都吃不了兜著走。」

Alex 卻不這麼覺得。尚之桃是新人，什麼項目都要跟，這是一定的。所以他問尚之桃：「妳確定妳願意去？」

「她去的話，那就做雙份差旅預算吧。」Lumi 嘆了口氣：「我也去。」Lumi 始終覺得自己是尚之桃的導師，她對尚之桃是有一點江湖豪情的。所謂江湖豪情，就是我的人我得罩著。

尚之桃感激地看 Lumi 一眼：「謝謝 Lumi。」

「客氣什麼。」

尚之桃並不知道此去有多少凶險，她只是覺得這是工作，她需要什麼都去嘗試，才能了解工作的本質。她這樣尊重工作，工作亦沒有虧待她。

在結束週會後，Alex 單獨留下她。

「Flora，妳來猜猜我接下來要對妳說什麼？」Alex 從來都不嚴肅，甚至朝尚之桃眨眼睛，有一點孩子氣的要尚之桃去猜。

「呃……」尚之桃還真的仔細想了想，她最近工作沒出什麼紕漏，於是搖搖頭：

「Alex，我不知道。」

「那妳看看這個。」Alex從抽屜裡拿出幾張紙，放到她的面前。

尚之桃拿起來看，看到巨大的「勞動合約」幾個字，中英雙語勞動合約，她睜大了眼睛，不可置信地看著Alex：「我……」

「妳輪崗的第一站是市場部，我跟Lumi溝通過，我們都想留妳在市場部。妳願意嗎？」

「我願意。」尚之桃雞啄米似地點頭，她還不會掩藏，只覺得開心。開心到眼底發熱。

「那妳回去簽這份正式合約，然後交到人力資源部那裡。」Alex朝尚之桃豎拇指：「加油，Flora。妳知道的，北京這座城市很殘忍也很公平。只要努力，就會有結果。妳過去兩個多月的勤奮、責任感大家都看在眼裡，是妳自己贏得了這份合約。」

尚之桃好像在做夢。

她記得入職的第一天欒念勸她換工作，那時的她多麼惶恐，多麼戰戰兢兢。可今天，她正式留在了這裡，Alex說她是靠自己的努力留下了。

這太感人了。她甚至有一點想哭。

尚之桃直到下班，都還感覺這不夠真實。她百感交集，總想跟誰聊一聊。

她問姚蓓：『學姐，您在北京嗎？』

『我在航太基地。怎麼啦桃桃？』

『我被正式聘用了。』

『真的！！！』姚蓓連打三個驚嘆號，而後將電話撥了進來：『我的學妹就是這麼有出息對嗎！我跟妳說，妳想想要吃什麼！等我回去我們一定要好好慶祝！』

尚之桃捂著嘴不讓自己笑出聲：「我想吃日料，我們公司附近有一家，我很想去吃。」

『那等我回去！』

平庸之輩尚之桃，體會到了另一種快樂。

尚之桃與人分享了喜悅，可她自己的開心還沒散去，她想獎勵自己，她覺得今天的她真是值得獎勵。要不然就去吃日料？請孫雨他們一起？可現在太晚了，他們到了日料店都要關門了。自己去！對！週末請好室友們吃飯！

尚之桃有點開心，在工位上站起身，臉上還掛著笑呢，伸展了身體又坐下了。而後立刻收拾東西，一分鐘都等不了。她背著包朝外走，遇到了準備下班的欒念。尚之桃來不及躲閃，只得朝欒念笑笑：「Luke下班啊。」

「嗯。」再無話。

尚之桃也不講話，她進了電梯站到角落裡，卻聽欒念問她：「今天不吃點好的？」

「哈？」

「不是被正式聘用了？」

「哦……是。」尚之桃不會說謊，她臉上的表情實實在在寫著：我現在就去吃好吃的。

見欒念透過電梯鏡裡看她，有點不情願的說：「您要一起去嗎……？」

「好。」

「？」

「您不用為難，如果您晚上有約的話。」尚之桃補了一句，這件事還有迴旋餘地嗎？

「不為難，沒有約。」

「……哦。」

吝嗇死妳得了。欒念在心裡笑她，他這人就這樣，本來順口逗她一句，她越不情願他越要去，她不開心了他就舒坦了。說簡單一點，欒念就是那種損人利己的人，用譚勉的話說：骨子裡就不是什麼好人。

「吃什麼？」欒念問她。

尚之桃搜腸刮肚想說吃什麼他能不去呢？麻辣燙？過橋米線？涼皮？

「公司附近有一家日式料理不錯，要讓妳破費了。」欒念半死不活說了一句：「吃三百九十八元的價位，不然沒有鵝肝。」

「哦。可是在公司附近，萬一同事看到，是不是解釋不清？有損您名聲。」

「妳多慮了。」欒念朝她笑笑：「請吧。」

尚之桃跟欒念吃的第二頓飯，就是那家日料店。

他們進去的時候已經九點多了，日料店人很少，他們找了個安靜的包廂坐著，包廂能看到庭院裡的景觀。景觀開了夜景，有小橋流水，靜謐異常。欒念果然點了三百九十八元的價位，一點也沒手軟，尚之桃也點了那一個價位。既然要幫自己慶祝，那就要狠一點，哪怕這頓飯會花掉她十分之一的薪水，她也覺得值得。

欒念要了清酒，自己倒了一小杯，然後問尚之桃：「駕照拿到了嗎？」

「下週末考試，不過我可能要延期，因為今天被外派跟致勝的拍攝。」

「去山裡？」

「嗯……說是要半個月。」

尚之桃也幫自己倒了一小杯清酒，啜了一口，還行，不會太烈。她咧嘴笑了笑，內心的喜悅根本藏不住。

第六章　跟進專案

欒念試圖去理解尚之桃的喜悅，事實上他並不覺得轉正有什麼值得慶祝，他過去那二十八年順風順水，並不能體會尚之桃此刻膨脹的滿足感。

「把妳錢包給我。」欒念朝尚之桃伸出手。

「為什麼？」

「我怕妳喝多了結不了帳。」

尚之桃真的乖乖將錢包拿出來給欒念，她的錢包怎麼說呢？上面畫著水墨畫，再仔細看，那畫裡有兩隻狗，奇奇怪怪的畫面拼湊。欒念眉頭皺了皺：審美堪憂。

「現金夠嗎？」欒念又問。

「不夠。」

「刷哪張卡？」

尚之桃站起身拿過錢包，拿出一張卡遞給欒念：「這張。」她豁出去了，請就請嘛，就這一次。

「密碼。」

「062400。」0624是辛照洲的生日，戀愛中的男女總會將對方的生日作為自己的特殊密碼，分手了該換了，可尚之桃懶，就一直沒有修改。

「行。喝吧。」

尚之桃很開心，又喝了兩小杯，但也僅止於這兩小杯了。她酒量不行，有點頭暈，晃了晃腦袋說不喝了，不喝了。說不喝，又多喝了一口。

欒念也不管她，認真吃鵝肝和生魚片，大概有一些日子沒吃日料了，這一吃覺得味道還不錯，胃口就這樣開了。對面的女孩嫣紅著一張臉，又一次覺得她傻不啦嘰的還挺下酒。

欒念這個老謀深算的人，在慢慢織一張網。在他接連對尚之桃起心動念後，立即做了決定，他要跟這個女人做點什麼。但他需要時機，他想跟尚之桃做點什麼，又不想與她過從甚密。如果兩個人能彼此解決需求但都不用對彼此負責，這樣的狀態最圓滿。

「妳去山裡是自願的？」他冷不防問尚之桃。公司環境是這樣，老人欺負新人，職位高的欺負職位低的，有關係的欺負沒關係的。很難有純粹的職場關係，除非一個能力極強的人，崗位缺他不可。

「我是。」尚之桃喝了好多水，頭暈好了一些：「我沒做過，就想嘗試一下。我想學很多很多東西，想變成很厲害很厲害的人。像Kitty一樣。」尚之桃喝了酒話竟然密了起來。

「為什麼要像Kitty？」

「Kitty真的很厲害，她什麼都懂，什麼都會，做什麼都很漂亮。」

欒念看了她一眼，沒接她話。

「如果 Kitty 不厲害，也不會進創意中心。公司裡的人都清楚，創意中心和企劃部，永遠挑最好的。」

「妳與其盲目攀比，還不如好好找大腿抱。」欒念講起話來真真假假。

「我人生地不熟，抱誰大腿？」

「Tracy。」

「我跟 Tracy 不熟。」

「那妳可以試試抱我大腿。」

嗯？尚之桃突然想起那天晚上冒出的雜亂念頭，欒念要潛規則她的念頭。雙手放在胸前，神情戒備：「我不會出賣自己的。」

欒念很少失態，這一下被尚之桃戳中隱祕心思，險些噴了酒：「妳沒事吧？」

「那您讓我抱您大腿？我一個小女生初來乍到，人生地不熟，沒錢能力也一般，我靠什麼抱您大腿？」

欒念手指點了點尚之桃：「手拿開。」

「嗯？」

「拿開。」

尚之桃將手移開，狐疑的看著欒念。卻見他打量了她的胸，而後撇撇嘴：「妳的擔心真是多餘了。」欒念笑出聲：「尚之桃妳以為我想睡妳是嗎？我缺女人嗎？」

尚之桃紅了臉。

「別做夢了！」欒念隔著桌子敲她腦袋：「等週末晴天，把妳腦袋裡的水晾乾。」

我不是挺好嗎？尚之桃低頭看自己的衣服，委屈巴巴。

兩個人這頓飯著實吃了很久，尚之桃站起身的時候晃了一下。欒念讓服務生倒水給她，果然拿著尚之桃的錢包去付錢了。

欒念，竟然真的宰了尚之桃一頓。他結過帳回來把錢包遞給尚之桃，還不忘道謝：「謝了啊。」

「不客氣。應該的。」

「恭喜妳被正式聘用。」欒念很認真地講了這句話。他如今覺得 Tracy 說得對，企業要有多元化的人才結構，一個團隊裡不應該都是菁英，也該有這樣的人，有趣的大傻子。

他們出了餐廳，欒念並沒有叫司機來接，而是跟尚之桃一起站在路邊攔車。她站得並不穩，又被風吹亂了頭髮，清澈的眼裡彌散笑意，又認真對欒念講了一句：「我不會出賣自己的。」

好像在幫自己加油打氣，她的這點惶恐被欒念看在眼中，他突然明白了：尚之桃喜歡他。

尚之桃跟 Lumi 出發了，Lumi 在飛機上對尚之桃說：「平時叫市場部的人大爺，等到了妳就會發現市場部的人就是他們的小碎催，一下渴了一下餓了一下飯店有大蟲子了。老娘在家衣來伸手飯來張口，卻要伺候那些麻煩精。」

尚之桃被 Lumi 逗得前仰後合。

Lumi 就是大小姐，對她來講，工作就是混日子的一種方法而已。所以她誰都不怕，卻也沒什麼追求。用她的話講：「當主管有什麼好？當主管的薪水還沒我收的房租多呢！」也算公司一霸了，同事們都讓她幾分。

他們下了飛機，跟拍攝團隊集合，上了一輛巴士。一行十幾個人浩浩蕩蕩，開了六個多小時，終於進了山裡的一個小鎮。那小鎮，從東到西不過一公里，房子高一處低一處。都二〇一〇年了，竟然還有這樣的小鎮，尚之桃覺得新奇。

Kitty 舉著相機四處拍，用她的話講：「這是體驗生活的絕佳機會。」

Lumi 撇了撇嘴，對尚之桃說：「還體驗生活，她真當自己是仙女下凡了？」

尚之桃忙捂她嘴，她心裡忽上忽下的，總覺得 Lumi 早晚得跟 Kitty 幹一架。Lumi 不喜歡 Kitty，她覺得 Kitty 太「裝」了。

Kitty 走了，廣告片導演丟給 Lumi 一份取景地清單，非常客氣的請她們幫忙溝通取景。

「沒定好？」Lumi 問。

「之前大概看了看。」

Lumi 拿著那疊紙拉著尚之桃走了：「瞧見沒？這就開始了。」

這鎮子，從這裡到那裡，看起來不遠。真走起來也是費力氣，尚之桃走了幾步，差點摔了跟頭。那大樹的枝幹在地下延伸，又從地面上冒出來一段，她沒看到。

兩個人就這樣深一腳淺一腳地去一個一個取景地看，等他們都看完，天已經黑透了。

山上天黑了就會降溫，兩個人凍得哆哆嗦嗦往回走，到了住處看到大家穿得暖和，正坐在外面喝酒聊天。Kitty 見到尚之桃朝她招手：「Flora，妳回來啦？市場部的工作真是太辛苦了，換作我，肯定做不來。」

Lumi 嘖嘖一聲：「看 Kitty 采風，覺得妳體能應該不錯。明天閒下來的時候跟我們去後山的取景地。」

Kitty 不敢惹 Lumi，朝她們笑笑，又與別人講話。

Kitty 不喜歡尚之桃。不喜歡她的原因是因為她無意間看到尚之桃的履歷，覺得她能進凌美只是憑運氣。Kitty 總是覺得自己應該與同樣優秀的人在一起，與尚之桃同批令她懷疑自己的能力。不僅如此，Kitty 討厭尚之桃的性格。每天笑嘻嘻的，無論別人說什麼她都說好，沒有能力的人靠吃苦耐勞去混好人緣，不值得尊敬。

尚之桃不知道 Kitty 的想法，她只知道 Kitty 沒那麼喜歡她，因為 Kitty 與她講話跟與別人講話完全不同。但這無關緊要，尚之桃不在乎。

她和 Lumi 一人吃了一口熱乎乎的泡麵就窩進被窩裡，山裡太冷了，今天又沒有熱水，兩個人都不想洗臉。勉勉強強刷了牙。

以為進了被窩這一天就結束了，周圍都安靜下來以後，卻聽見牆角有窸窸窣窣的聲音。尚之桃坐起來開了燈，看到牆角有一隻老鼠。那老鼠有一隻腳那麼大，肥膩肥膩，看到光亮突然在屋裡亂竄。

尚之桃從小怕老鼠，她尖叫一聲跳下床，想起那老鼠在地上，又跳上床。Lumi 也怕，她的叫聲比尚之桃還要大，跳到尚之桃床上，兩個人抱在一起。

她們的尖叫聲吵醒了所有人，男同事在門外敲門，尚之桃和 Lumi 竄到門前，開了門跑了出去。

「怎麼了？」

「大老鼠！這麼大！」Lumi 跟同事比劃：「不是說來之前放老鼠藥了嗎？」

店主也跑了出來，聽到這句有點不好意思：「老鼠藥不夠了，有兩個房間沒有放……對不起對不起，明天就去縣城買。」

尚之桃抹掉眼角的淚水說：「沒事沒事。」

她真的被嚇壞了。這時手腳冰涼。她知道這次來山上會很艱難，卻沒想到在第一晚就敗給了老鼠。好在有男同事好心，跟她們換了房間。

尚之桃躺在硬木板床上，聽著外面的響聲，覺得十分對不起Lumi：「Lumi，真對不起。如果不是我要求來這，妳也不用陪我受苦。」

「別說這些沒用的，老娘來體驗生活了。」Lumi寬慰尚之桃：「這麼一體驗就覺得平常太幸福了，等我回去了我得給我爸媽磕兩個頭。」

「等回去我請妳吃飯吧？」

「請吃飯算了，等回去妳替我加兩次班吧！妳也知道我不愛加班……」

「替妳加一個月班。」

尚之桃第二天睜眼時渾身痠痛。長在大平原的孩子，走了大半天山路，身體吃不消了。她還好，喊了兩聲好累啊就勉強爬了起來，Lumi就沒這麼好運了，她生理期來了。

本來就累個半死的人，現在身上沒一個零件屬於她。她生理期來又很折騰，肚子絞痛，又想嘔吐。尚之桃嚇壞了，跑出去找司機：「得帶Lumi去縣城醫院，她生病了。」

司機哪敢耽誤，跟尚之桃一起把Lumi送到了醫院，打了止疼針。尚之桃太過意不去，坐在Lumi旁邊吧嗒吧嗒掉起了眼淚，平常遇到多委屈的事都勸自己笑笑過去的女生，今天因為心疼Lumi而哭得停不下來。

「祖宗哎，妳送終呢？」Lumi逗她：「快別哭了，這真是趕巧了。」

「妳今天就回去好不好？」尚之桃想讓Lumi趕緊回去，這地方太苦了，Lumi沒吃過這樣的苦。她自己也沒吃過，可這是她選擇要來的，她必須堅持。

「不好。」Lumi 瞪她一眼：「妳趁早斷了讓我回去的念想，我明天就好了。我要是把妳自己留在這，Kitty 還不欺負死妳？」

「我不會讓她欺負我的……」

「胡說。我看妳就是太老實，誰都敢拿捏妳。」Lumi 嘆了口氣：「我想吃碗熱騰騰的麵……」

「我去買給妳！」尚之桃看到 Lumi 終於有了食欲，起身撒腿就跑了。縣城到底比那個名不副實的小鎮要好，醫院旁邊就有一條小吃街，人來人往十分熱鬧。尚之桃看到一家麵館排的隊伍很長，味道聞起來很好聞，於是打給 Lumi：「妳是不是不能吃辣？」

『胡說！給我來最辣的！』

尚之桃咯咯笑出聲：「好。」她排了很久的隊，買了兩份酸辣肥腸麵，還買了串串回到醫院給 Lumi。Lumi 右手在打點滴不能動，朝尚之桃張嘴：「來，餵我。」尚之桃真的就聽話的一口一口餵她吃。

Lumi 就喜歡看尚之桃那股憨憨的勁頭，這年頭像尚之桃這樣的女生不多了。她待人好，倒不見得會拿出多貴重的東西，就是直愣愣捧出自己的一顆心。

兩個人在醫院待到下午，Lumi 回血了，於是回到了山上。

大家的準備工作已經就緒，就等演員了。看到她們回來，圍上來噓寒問暖。Lumi 白皙的手一揮：「打完針了，又是一條好漢。演員什麼時候到？」

「快了。」導演坐到 Lumi 旁邊，小聲問她：「這次預算到底批了多少？」

「我不知道啊……我們就是來跟執行的。再說了，錢不是客戶出？」Lumi 跟導演打馬虎眼，事實上這個項目凌美談的是全包，客戶全部授權凌美來做，只管驗收。但來之前 Alex 叮囑過，不能跟拍攝團隊講實話。拍攝團隊嘛，給他一千萬他都能花完。

導演看在 Lumi 這裡探不出消息，就問一旁的尚之桃：「Flora 妳知道嗎？」

這次尚之桃長了心眼，也學 Lumi：「我也不知道啊……老闆就是讓我來搞後勤。」

一來一去，什麼有用的話都沒有講。

「可以啊，小桃桃。」Lumi 在導演走後誇她：「學得挺快，知道怎麼跟這些老狐狸打馬虎眼了。」

「您教得好。」

天黑透了，演員到了，不是什麼知名演員，凌美這次的廣告片是一個系列故事，打通產品與人性，打的是溫情牌。在這裡拍攝的故事是生活在大山裡的少年，經歷不同的人生，最終回到這裡的故事。目的是召回老客戶使用者。

當天晚上就拍起了外景，尚之桃沒經歷過這種工作，覺得很好玩，穿著羽絨外套站在一旁看熱鬧。工作真是千奇百怪，有的人每天要坐在電腦前不停加班，有的人也可以拿著劇本背臺詞，各有各的樂趣。

尚之桃看得認真，以至於手機響了她都沒有聽到。是在深夜結束了拍攝才看到 Alex 打給她。忙回電給他，Alex 剛好是管理會中歇，就在會議室接了電話。

「Alex，抱歉剛剛在現場沒聽到電話響。」

『Lumi 沒事吧？剛剛創意中心的 Kitty 彙報工作說 Lumi 生病了。』

「哈？」

Kitty 彙報工作為什麼要說 Lumi 生病的事？尚之桃不懂，但她也沒有多想。於是將 Lumi 的事對 Alex 講了。

『沒事，讓她養好身體，千萬別出什麼事。另外，部門有緊急的專案，妳們得回來一個人支援。妳們自己商量誰回來。』

「好的，Alex。」

尚之桃掛斷電話，對 Lumi 說道：「Alex 說有緊急專案，讓妳回去支援。」終於有藉口讓 Lumi 回去了，她的負罪感減輕了一點。

「什麼時候？」

「明天。」

「那我不放心妳怎麼辦？」

「妳不回去我們都完了。」

尚之桃第二天一早送走了 Lumi，Lumi 在走之前叮囑她很多：「妳是市場部管預算的，後勤工作可以做，但他們必須對妳客氣；所有的進出項都要列好，回頭財務要查的。」

尚之桃謹記Lumi的教導，可她還不會端架子，別人讓她做什麼她都高高興興去做，不到一天時間，就跟劇組混熟了。導演覺得尚之桃很不錯，跟別的管市場的人不一樣，就對她說：「下次拍廣告片，還請妳來。」

「好啊。」尚之桃應了，然後就拿著採購清單跟司機去了縣城。變成了一個徹頭徹尾的體力勞動者。原來做市場工作是一定要有好體力的，尚之桃慶幸自己四肢健全精力充沛，不然可能真的會累死在這座山裡。

司機劉武是公司專門為欒念招的，可欒念一般情況下都會自己開車，他閒著沒事，就請命來這裡開車。劉武是退役軍人，四十多歲，寸頭，精氣神很足的人。他看尚之桃一直笑呵呵的，沒什麼脾氣，也不嬌氣，就在路上誇她：「妹妹，妳可以啊。一個女孩做市場，不怕苦不怕累，還每天開開心心，挺難得。」

「嘿嘿。」尚之桃嘿嘿一聲：「我什麼都不會，所以要多學習。採購物資也算學習了對不對？」

「妳想得真開。採購物資不就是買東西嗎？」

「那倒也是。今天早上聽Kitty說您是Luke的司機嗎？」

「是，不過是個閒差。欒總喜歡自己開車，也就喝酒的時候會讓我開。」

「哦哦。」

尚之桃哦哦了兩聲，突然想起他們前幾天喝酒，欒念並沒有讓劉武去開車。她好像突然參悟了那麼一點門道，那就是欒念其實是在避嫌。

我也得守住嘴，千萬不能給自己惹麻煩，尚之桃想。欒念這個人城府很深，很多事當時妳不理解，過了一段日子再往回想，就大概能明白他心中的那一些彎彎繞繞。

「妳跟欒總熟嗎？」劉武突然問她。

「啊……」尚之桃愣了一下，馬上說道：「不熟啊，只是一起開過兩次會，剩下就是平時在公司打個照面。」

「怕他嗎？聽說很多女同事都怕他。」

「怕！」尚之桃點頭：「他可太嚇人了。」

劉武憨厚的笑了：「其實他私底下人挺好的，也不嚴肅。有時他喝酒我送他回去，他會留我喝茶，或者吃點水果。還會跟我聊天，不是妳們看到的樣子」

尚之桃想說：那是因為他沒勸過你辭職……不過她忍住了，只是咧開嘴笑了笑。

第二次來縣城，比第一次更認路。

劇組要買的東西都是一些雜七雜八的東西，一把破蒲扇、一張木板凳、一件滌綸襯衫等等。有好多東西在大城市已經看不到了，可這個小縣城裡竟然能夠找到。

尚之桃突然想起欒念在一次會上說的，業務下沉。怎麼下沉呢？大概就是受眾是多種多樣的，大城市不用的東西賣到小地方，無論怎麼樣，都會有市場。

從這家到那家，一家又一家，挑東西、殺價、記帳，這些瑣碎的活做起來也不容易，等他們把東西都買完，已經到了下午五點。匆匆吃了口麵又往回趕。一路顛簸，尚之桃突然後悔吃那碗麵，在快到鎮上時，叫劉武停車，都吐了出去。

真是一場修行。

她回去後又跟大家盤點了物資清單，確定沒問題了，才回到房間。這樣折騰一天，傍晚又吐了一次，胃裡翻江倒海的難受，她吃了兩顆藥，又喝了點熱水躺回床上，打開電腦。沒有網路，但還能做表格，將今天的支出填進去，折騰到半夜才結束工作。

Lumi 走了，她突然有一點孤獨。

年輕的女孩是很容易被孤獨打敗的。尚之桃也沒有鎧甲，在這樣的深夜裡，孤獨猶如洪水將她淹沒。她突然冒出一個念頭，什麼時候才能有個家呢？在北京這樣的城市，五環外，或者六環，都沒有關係，能買一間小小的房子，是不是就不會孤獨了？

是在深夜，她睡著覺，察覺到被子上有什麼東西爬過，迷迷糊糊睜開眼，看到一雙小而亮的眼睛於微弱月光中盯著她。

她從來沒有跟老鼠對視過，這一生也只有那麼一次。

指尖腳尖瞬間冰涼，緊接著是身上起了一層細細密密的雞皮疙瘩，生命好像靜止了，甚至忘記尖叫。

那老鼠比她先反應過來，蹭一下消失了。

尚之桃經歷了人生第一個崩潰的黑夜。

後來她把這個夜晚當作笑話講給別人聽，她說：老鼠的眼睛也像星星一樣亮呢！

到了下一個晚上，她不敢睡在屋內，也不願吵醒別人，索性出了門看星星。

山上的星星可真好看，一整片燦爛夜空。尚之桃想起跟辛照洲戀愛時，他們曾一起跋涉到鄉下去看星星。那時他們都沒有錢，坐公車，轉乘一次又一次，住最破的招待所，好像還不如現在住的那一家。

可那時的尚之桃甘之如飴。

她記得辛照洲將她的腳丫揣進懷裡，有點心疼地說：「別人談戀愛都沒吃過這樣的苦。」

「別人談戀愛也沒看過這麼美的星星啊。」尚之桃傻裡傻氣，她不知道好多人戀愛，既不用吃苦，也看得到這麼好的星星。

她坐了一下，覺得冷了，就跑進屋裡，燒了壺水泡腳，覺得通體舒暢，又在心裡為自己加油：床邊有鼠夾，牆角都放著老鼠藥，今天一定沒問題的。裹著被子準備睡覺。剛閉上眼，手機就響了，是 Alex，她忙接起。

「Hi，Alex。」

『Flora，我們還在開管理會。剛剛其他老闆問起拍攝的執行情況，我現在擴音，妳跟大家同步一下。』

這彙報來得猝不及防，深夜了，老闆們竟然要開管理會。尚之桃毫無準備，她騰地坐起來，說了聲：「好。」

『那我擴音了啊，與會的人有Luke、Tracy、Jason、Zack，妳OK嗎？』

「好啊。」尚之桃迅速整理思緒，等Alex說可以便開始彙報：「各位老闆好，目前拍攝了三個簡單場景，新增費用兩千一百元，暫時沒遇到什麼問題。」

『好好，你們注意安全，拜拜。』Alex了解尚之桃，她彙報得簡單，但工作肯定做得扎實，所以不願為難她。

欒念眉頭卻皺了皺。

這叫什麼彙報？

會議結束拿起手機傳訊息給尚之桃：『妳剛剛彙報的是什麼？』

『進度啊……』

『妳確定？』

『我……』

欒念生了一點氣，他覺得尚之桃真是搞不清狀況，這麼重要的場合她彙報就輕描淡寫幾句？徑直打給她：『妳現在重新彙報一次。』語氣冰冷。

這一句嚇得尚之桃魂飛魄散，清了清嗓子：「我剛剛講了重點內容。」

『狡辯？』

「不是不是。」尚之桃忙擺手，她忘記欒念根本看不到她擺手了。

『重新彙報。』欒念重複一遍。

「我們拍攝……」

『不對。你們指的是誰？這兩天拍攝了幾個場景？分別都是什麼？進度到哪了？花了多少費用？花在哪了？預估花費多少？預估達成效果什麼樣？』欒念連珠炮一樣，一句又一句，他就連就職發言都是幾句話，今天卻講了這麼多話，一次性的。

欒念真的沒辦法忍受自己的團隊有蠢人。尚之桃是凌美的員工，他是凌美中國區的掌門人，所以尚之桃是他團隊的人。

尚之桃按照欒念的提問重新組織了語言，怯怯的說：「我重新彙報？」

『說。』

尚之桃依據欒念的提問又重新回答：「本次拍攝項目，包括劇組、創意中心、市場部在內共有十七人參與，目前已拍攝三個場景，分別是薄霧之晨、山中小徑、月光心事。本次廣告片共十六個場景，剩餘部分計畫在十天內拍完。截止到今天，雜項共花費市場費用兩千一百元，後續的花費我還沒做預估，但不會超預算。」

『嗯。』欒念嗯了聲：『妳在其中充當什麼角色？』

「我……管錢和……打雜……」尚之桃聲音越來越小，果然，欒念在聽到打雜二字時打斷了她：『妳的價值是打雜嗎？我到哪招不到一個打雜的人？如果妳還繼續打雜，那妳趁早回來，別浪費公司差旅費用，也趁早走人。』

他掛了電話，將電話丟到一邊。

這一天忙得連飯都沒有吃，到了晚上還被尚之桃氣個夠嗆。她到底怎麼回事？打雜？她認為自己的價值是打雜嗎？

尚之桃被欒念訓了一頓，徹底精神了。

倒也沒有沮喪，反正欒念經常訓她，這又沒什麼稀奇。但欒念訓得對，她的確沒有彙報經驗。她以為自己說了重點，可或許在別人眼中是敷衍。

乾脆開了電腦，打開文件檔案，開始總結彙報的方法。彙報方法是什麼？大概就是欒念問的那些關鍵問題。又想起欒念的口氣，這人脾氣可太臭了，明明是在教她，卻不好好講話。

尚之桃哼了一聲，欒念這個怪人。

她用了半個小時寫了一個彙報方法的文件檔案寄到欒念的郵箱，然後傳訊息給他：『剛剛接受了Luke的指導受益匪淺，整理了一份彙報方法寄到您的郵箱了，可以請您幫我看看嗎？』

訊息剛傳過去就收到欒念的回覆，他說：『幾點了？』

尚之桃看了看時間，回他：『凌晨一點了。』顯然沒領會欒念那「幾點了」的用意。欒念是在說：幾點了？妳不睡別人也不睡？妳有病吧？

看到尚之桃的回覆，欒念的眼睛瞇了起來。她真是看不懂眼色啊。跟她這種人真是生不起氣，你氣死了，她可能會蹲在你屍體邊滿臉問號：「你怎麼死了啊？」大概就是這樣一個沒有腦子的人。

欒念坐在床邊，還濕著頭髮打開了電腦郵箱，看到尚之桃總結的彙報要點。具體，所以囉嗦，但進步巨大。

又打給尚之桃：「關機了嗎？」

『您沒睡啊？』尚之桃問他。

欒念突然有一股掐死尚之桃的衝動，靜了兩秒讓自己冷靜，而後說：「我來說，妳來改。」

『好的，謝謝您 Luke。』

「以後做工作彙報，要先思考別人關注什麼？然後是妳的項目本身。」欒念說得仔細，尚之桃記的認真。這深夜輔導來得很突然，尚之桃突然生出一股讀書時下課後被老師留下單獨輔導的錯覺。也不知道是老師怕學生拖班級後腿還是單純對學生好。

「記下來了嗎？」

『記下了。謝謝您。』

「既然記下了，妳主動跟 Alex 申請一次專案彙報會，等妳回來仔細彙報一下這次跟進專案的進度。」

『……好的。』

「不願意？」

『不是不是，我只是覺得有點突兀。』

「如果妳覺得做向上管理突兀，那妳就做好永遠不向上走的準備。」欒念講的是職場現實，不做向上管理的人在職場走不了太遠。

『好的，我明天就跟 Alex 約時間。』

兩個人突然靜了下來，尚之桃有點尷尬。她絞盡腦汁想該說些什麼，結果欒念掛斷了電話，連再見都沒說。

欒念今天講的話太多了，多一句都懶得講，掛斷電話吹了頭髮躺回床上。手機又響了，他拿起來看，是個陌生號碼。他接起，聽到對面含糊的哭聲：『欒念，你信不信我死給你看？』

欒念掛斷，那電話又打了進來：『你是不是以為我不敢？』

「不要以死來要脅我，妳知道這沒用。」欒念聽到手機那頭的哭聲，他罕見的沒有掛斷電話，等她哭聲消了一些才說：「分手的時候說好好聚好散，妳大可不必鬧成這樣。」欒念掛斷電話。

第二天他睜眼，看到手機裡有幾十通未接來電。張欣瘋了。

然後他看到收件箱裡躺著幾則訊息。

『欒念嗎？我是張欣的朋友。她割腕了。』

『你能不能來一下醫院，她在搶救。』

『你他媽是人嗎？就這麼對自己的前女友？』

欒念打電話過去，那邊接起，開始咒罵欒念：『你他媽要是不想活了你說一聲，我們弄死你！』

欒念皺著眉頭聽那邊洩憤，而後問道：「哪家醫院？」

對方愣了一下，迅速說了醫院地址。

欒念梳洗完畢拿著車鑰匙出了門，路上塞了一下車，到醫院的時候已經九點了。他找到病房，看到張欣正靠在床頭，一個女生餵她吃水果。

張欣看到欒念，將送到嘴邊的水果推開，眼淚又掉下來。

欒念心想，真不錯，昨天半夜還在搶救，早上就能吃水果，情緒收放自如，不愧是張欣。

他走到張欣床前，對她朋友說：「妳早上在電話裡罵我？」

那女生一愣，轉而說：「罵你怎麼了？我他媽還要找人弄死你呢！」

欒念拿出手機，當著她的面按下停止錄音：「行，證據我錄下了，等等傳給律師。」

女生也是個倔的，騰地站起身，手朝欒念臉上甩，欒念動作快，後撤一步握住她揮來的手腕：「別撒潑，到最後難看到無法收場。」

欒念最討厭別人撒潑，男人女人都一樣，在他面前撒潑都會令他不悅。有道理就講，沒道理就閉嘴。他甩開那女人的手冷眼看向張欣：「有意思嗎？」

「你一點也不心疼對嗎？」張欣看著欒念，她覺得這個人的心真是捂不熱。戀愛嘛，他也會送妳包，週末跟妳約會，平常也會打一兩通電話，但也就這些了。他永遠跟妳有距離，哪怕是在做愛的時候，她也感覺不到他有多愛她。

「如果我沒記錯的話，我們分手快半年了。妳要求我的售後服務持續多久？三年？五年？十年？」欒念知道此刻醫院的人是怎麼看他的，在他們心裡，他是個徹頭徹尾的渣男。

他不在乎別人的眼光，也不願再跟張欣廢話。

「下次想自殺別再打給我了，命是妳自己的，妳不想要了不用通知我。」

「另外，妳別忘了，是妳先提分手的。」

張欣一言不發，徹底恨上了欒念。

「妳想要什麼？」欒念語氣緩和下來，坐在張欣床邊，淡淡看著她：「從前看不出妳是會在分手後以死相逼的人。我以為我們談得很好。」

「我中了你的圈套，你冷暴力我，逼我主動提分手。」

欒念以為張欣跟他是同類人，不喜歡被束縛，覺得一段舒心的關係就是彼此信任給對方留有餘地和空間。起初張欣是這樣，後來她變了。她開始試探、查崗、纏著欒念，甚至找人跟蹤他。這令他極其厭煩疲憊，他提出分手，張欣又百般糾纏。

「我今天來看妳，不是要和妳復合。」欒念拿過張欣手中的水果看了看，又放回她掌心：「好好吃妳的水果，好好養傷，別再打電話給我。還是那句話，好聚好散。」

「你心真黑。」張欣的眼睛眨了眨，長睫毛上又沾了淚珠，楚楚可憐。

欒念不吃這套。

欒念這人軟硬不吃。

他打定主意的事哪怕你是天王老子都沒用。

「比起妳造謠我那些事，我心腸好多了。」張欣想搞臭他，逼迫他回頭。欒念無所謂，反正他名聲不好。拿出一支錄音筆給張欣看：「妳如果繼續下去，我們就法庭見。」

說完起身走了出去。

有人結束一段戀愛關係能好聚好散，有人則會鬧得不可開交。欒念見識了女人的狠戾，逼急了是會往自己身上劃刀子的，突然就厭倦了親密關係。他從前也不是對親密關係上心的人，他就是一個沒什麼心的人。世人口中的渣男。

他驅車到公司，電梯裡遇到了 Lumi 和 Alex。

「早啊 Luke。」Lumi 和 Alex 跟他打招呼，然後 Lumi 聊起了尚之桃：「Flora 真的能吃苦，這次拍廣告片那破地，我這輩子不想再去了。可 Flora 堅持住了。導演說整個劇組的後勤她都照顧得很好，不僅如此，昨天還跑出去找了新的取景地。厲害。」

Alex 聽她忽然提起尚之桃，有點摸不著頭腦，但自己的兵嘛，總歸也要誇一下的。於是點頭說道：「Flora 真不錯，堪重用。」

欒念幽幽看他們一眼，他們刻意的表演演技可以說相當拙劣了，又看了 Lumi 一眼，緩緩開口：「帶這樣的徒弟一定很辛苦吧？」

Lumi 被問的一愣，電梯門開了，欒念朝他們笑笑出去了。欒念納悶的是尚之桃這隻呆頭鵝竟然在職場交到了朋友，變著花樣為她講好話。

他走到辦公室剛開了電腦，尚之桃的訊息就進來了：『Luke，我跟 Alex 約了彙報啦。在下下週週二。』

『跟我有什麼關係？』

『向上管理哦！』尚之桃現學現賣，她由衷覺得欒念講得對，就是要向上管理，不然怎麼讓上司知道妳做了什麼呢！她早上起床突然茅塞頓開，覺得她不僅要管理好 Alex，還要管理好 Tracy、Luke，總之該管理的都得管理。

Luke 覺得我煩怎麼辦？尚之桃在心裡問自己。

又轉眼給出了答案，怕什麼，反正已經很煩了。

「……」是不是傻？欒念心裡念了一句。

或許是 Lumi 在電梯裡誇尚之桃讓 Alex 突然有了靈感，他讓 Lumi 迅速在內部聊天軟體拉了個群組，將拍攝小組、尚之桃、他自己、Kitty、欒念等人都拉了進來。

Lumi 心想 Alex 終於開竅了，知道運用自己的特權了，於是在群組裡說道：『聯合專案，前線的夥計們辛苦了。有問題勞煩在群組內溝通，Alex 說等大家回來加雞腿。』

群組內一眾人等都出聲應和，只有尚之桃沒有講話。尚之桃幹什麼去了？找群演去了。創意中心跟導演協商臨時改了腳本，需要找一個老年群演，要乾淨的、看起來隨和的頭髮花白的老奶奶，要求十分具體。

Kitty 對尚之桃說：「Flora，拜託妳了。」

「不是你們找？」導演問 Kitty。

Kitty 搖搖頭：「這樣的事還是市場部同事擅長。」

尚之桃覺得只是工作而已，又能出去走走，挺好。於是就走了。

她正在鎮子裡溜達，想找個合適的老年群演。從東到西，終於在一棵古樹下找到一個曬太陽的老婆婆。尚之桃湊到她身邊，朝她笑笑：「阿婆，拍廣告嗎？」

阿婆搖搖手，她聽不懂尚之桃講話。

尚之桃比劃半天，阿婆還是聽不懂，她索性拉起阿婆的手把她拉到現場，阿婆看到攝影機忙向後退，顯然很害怕。尚之桃只好又把阿婆送回了樹下。

找人太難了。乾脆去找司機劉武：「您帶我去一趟縣裡吧？」

「走。」

劉武開著車帶著尚之桃去了縣裡，尚之桃記得之前那家麵館有一個奶奶，依稀符合 Kitty 和導演的要求。兩個人一路奔波到了那，跟店主說明來意，店主問：「給多少錢？」

「兩千哦！本來是一千，但因為要跟我們一起去鎮裡，路上有點顛簸。」這是尚之桃第一次主動加價，老人不容易呢，為了賺這點錢，能把屁股顛碎了。她也第一次體會到管錢的快樂，那就是老娘願意給多少就給多少，在合理範圍內能做主的感覺真好。

「要。」店主喜不自禁：「妳等著啊，我去問問，如果沒有問題的話你們明天來接人啊！」

「好啊，謝謝您。」

尚之桃餓了，趁著店主去找人，請劉武吃了一碗麵，又幫劉武加了雞腿。劉武見她吃得香，就問她：「妳不覺得有些活不該妳幹嗎？」劉武覺得尚之桃這女生挺傻的，無論給她什麼活她都幹，真的是一點也不挑活。Kitty 每天混在導演跟前，什麼活都沒幹，導演卻逢人就誇她。

「我知道啊，但待在那也沒事，來縣城挺好啊，還有好吃的麵。」

手機響了，尚之桃連忙接起，聽見 Lumi 說：『祖宗哎，去哪了？』

「我在找群演。」

『哦。』Lumi 掛斷電話，又打給 Kitty：『妳在哪呢？』

「我在現場哦！」

『妳剛剛在群組裡說的話什麼意思？什麼叫尚之桃找不到合適的群演，群演是尚之桃該找的嗎？』Lumi 想想就覺得來氣，老闆們都在的群組裡，輪得到妳煽動挑撥嗎？

「是尚之桃說她沒問題的。」

Lumi 氣個半死，掛斷電話。轉而在群組裡說：『剛剛打過電話給 Flora 了，Flora 主動承擔了找群演的工作，現在奔波去了縣城。』

尚之桃不知道發生的這件事，她與老婆婆講完那場戲時天已經黑了，他們慢慢往回開，卻遇到意想不到的事，下雨了，車陷在了泥裡，劉武試了很多種辦法，車還是倔強的杵在泥裡。

劉武嘆了口氣上了車，開始打道路救援電話。

這鳥不拉屎的地方，道路救援都要幾個小時後才能到，也沒有車輛經過。

荒山野嶺，周遭一片漆黑，尚之桃甚至覺得自己聽到了狼叫聲。身邊又坐了一個不那麼熟悉的男人，她想來想去，傳了則訊息給 Lumi：『我和劉武車壞在路上了。』

『現在？』

『現在。』

『行，我知道了。我現在就跟他們說，妳和劉武在路上。劉武是 Luke 的司機，應該可靠。妳別害怕。』

Lumi 安撫尚之桃，然後就在群組裡說：『Flora 怎麼這麼命苦，大晚上車壞在荒郊野嶺。劉武也沒有辦法。』

欒念在群組裡一直沒講話，看到這句回了句：『Flora 辛苦了。』

Lumi 等著欒念再說句人話，可欒念卻變成啞巴了，沒有繼續在群組裡發言。

他打了電話給劉武：『車壞了？』

「是。也沒有車經過，救援要過幾個小時才到。」

『辛苦了，照顧好尚之桃。把電話給她。』

尚之桃坐在那裡瑟瑟發抖，頭腦裡已經編了好幾個版本妙齡女子被拋屍荒郊野嶺的故事。拿過電話聽到欒念問她：『害怕嗎？』

尚之桃點點頭，她又忘記欒念看不到她點頭了，但欒念大致能想到她的模樣，剛畢業的女生，跟一個陌生男人困在荒野裡，不哭出來已經很勇敢了。

『劉武是我面試進來的，他是退伍軍人，又家庭圓滿，妳不用害怕。』欒念難得溫和：

『晚上吃了嗎？』

「吃了麵。」

『車上有防寒的衣物嗎？』

「有一條毯子，劉武給我了。」尚之桃帶著哭腔，但她咬著牙不許自己哭出來，要堅強，哭什麼？可有些時候，害怕是止不住的。

欒念輕聲笑了：『尚之桃還可以。』

「嗯？」

『我說妳還可以，沒被嚇哭。雖然人蠢點，但好歹算是勇敢。』

「哦。」誰他媽要勇敢啊！我要的是熱乎乎的被窩和光明啊！

欒念也不會安慰人，單純是關心下屬的安危，該講的話他講了，就掛斷電話，出了公司。他晚上約了譚勉吃飯。

到地方的時候譚勉已經到了，正在點菜，看到他進來嘲笑他：「聽說你腳踏四條船？」

欒念聳聳肩，不回應譚勉的嘲諷。譚勉卻不依不饒：「要我說，你以後乾脆別談戀愛。解決生理需求就找個床伴，各自互不干涉，多好。」

「是挺好。」欒念顯然不愛說這件事，問譚勉：「週末打球嗎？」

「打啊。」

「別找啦啦隊。」欒念討厭有啦啦隊，吵得人頭疼。

「啦啦隊可都是漂亮女生，不找啦啦隊你怎麼發展床伴？」

「你轉行拉皮條了？」欒念冷森森看他一眼，低頭看了時間一眼，十點多了，尚之桃會不會嚇得尿褲子？腦海裡猛然蹦出這樣的念頭。又想起今天群組裡上演的各種戲碼，終於打給Kitty：「妳明天回來吧。」

『有緊急工作嗎？』Kitty有點意外欒念打給她。

「如果群演都讓市場部找，那妳在那裡應該沒什麼意義了。」欒念沒有說尚之桃的名字，他並不覺得自己是在為她出頭，單純是出於團隊管理的需要。在他的團隊裡，沒有擔當的人就是要撤下來，換有擔當的人上。他就是這麼直接。

Kitty 反應極快，迅速說道：『我要跟您解釋一下，不是我推託，是我們臨時改了腳本，需要跟導演深度溝通，而我分身乏術，所以拜託了 Flora。後面我會注意的 Luke。』

「嗯。回來檢討。」欒念緩和了語氣，給 Kitty 機會改正。

「這麼小的事你也管？」譚勉有點意外地說道。

欒念聳聳肩：「偶爾體會一下拿捏下屬的快感。」

「我不信。」

第七章　一時衝動

尚之桃發現工作就是一場修行。Kitty 突然斂了氣焰跟在她旁邊好好幹活，這讓尚之桃的日子好過了一點，但也只是那麼一點而已。

她在山裡待那半個月，經歷的事情好像比她讀書四年都多，工作每天都有新的問題，而她，每天都在不停的升級打怪。當她拖著行李回到北京時，甚至覺得自己脫胎換骨了。

北京已經進入了秋天。

她在這個秋天，擁有四天調休假，這太幸福了。只可惜室友們都不在，孫雨回貴州參加婚禮，張雷和孫遠翥出差了。尚之桃蒙頭大睡了一天，到傍晚的時候才睜開眼。看到姚蓓打了幾通電話給她，忙回過去：「學姐。」

『晚上吃飯嗎？』

「妳不上班？」

『今天單位有 Team building，下班早。我買車了去接妳啊，妳想吃什麼？』姚蓓問她。

「好啊好啊，我這就起床。我什麼都行，不挑食。我來請您啊，這個月公司莫名其妙發了獎金給我，雖然不多，但也值得慶祝。」

『妳那點錢還是留著吧！不挑食的話，我們去吃燒烤吧，就在大學旁邊。』

「好啊。」

尚之桃好久沒有見過姚蓓了，算起來應該有三年了，姚蓓畢業後她們就沒再見過，但一直在聯絡。她站在路邊等姚蓓，看到一輛小車停到她面前，姚蓓從車上跳下來：「小桃桃！」

尚之桃撲上去抱住姚蓓：「學姐。」開心得不得了，甚至有點想哭。在這麼大的城市看到一個熟人真的不容易。

兩個女生抱了一下，鬆開時姚蓓說：「走，晚了就要排隊了。」

「好！」

姚蓓變了很多，一根簪子將頭髮簪在腦後，一件好看的風衣將整個人襯得修長溫柔，尚之桃移不開眼。姚蓓的手拍在她頭上：「妳再看我我會誤以為妳性傾向變了。」

尚之桃嘿嘿一笑。

姚蓓一邊開車一邊看她一眼：「和辛照洲還有聯絡嗎？」

「沒有了。」

尚之桃覺得她和辛照洲的分手好像跟別的男女不一樣，他們是彼此祝福了的。那時尚之桃難過，靠在室友肩膀上哭，流著淚問：「我們為什麼要長大？如果一直都是大三該有多好。」

大三那年，是尚之桃和辛照洲最好的一年。

是在那一年，在他們看星星的晚上，辛照洲和她完成了人生的一次成長。尚之桃記得他們之間的慌亂、驚訝，還有彼此臉上的汗珠。她覺得自己勇敢極了。

「他現在在深圳嗎？」姚蓓問她。

「是。他父母都在深圳，他們家是新移民，政府有政策。比在北京好。」

尚之桃想，人生就是這樣，他向南，她向北，他們都身不由己。

「還想他嗎？」姚蓓問她。

尚之桃想了想，搖頭：「早就不想了，都快分手一年啦。」難過是真的，但她這人遲鈍也是真的，兩個人在一起的時候那麼好，分手了她哭過幾場，難過了幾個月，就又是那個沒心沒肺的尚之桃。有時在學校裡看到辛照洲，他倔強地別過臉去，到最後都不肯原諒尚之桃不跟他走。

走去哪呢？男孩自私，以為女孩愛一個人就該跟他浪跡天涯，他忘了他也是有腿的，他也可以跟女孩走。

姚蓓看著尚之桃，突然笑了。

「怎麼啦？」尚之桃問她，聲音甜甜軟軟的。

「多談幾次戀愛。」姚蓓認真說道。

「嗯？」

「要不然妳不工作的時候做什麼呢？大好年華，晚上不跟男人膩在一起，有意思嗎？」

「學姐，妳是航太工作者……」尚之桃提醒她，搞科學研究的女人張口說這些，感覺有點奇怪。

「航太工作者就不能有性生活啦？」姚蓓咯咯笑出聲：「我問妳，來北京幾個月了，有沒有什麼男人讓妳覺得有點饞？」

尚之桃突然想起欒念，他喝多了，脖頸上的肌膚燙到她指尖。那天她曾冒出一個念頭：欒念是什麼樣子？

微微紅了臉看向車窗外，欒念那個人冰冷冷的，脫了衣服肯定也熱不起來。他與人親熱的時候可能也皺著眉頭，沒什麼情緒，或許他連前戲都不會做。

想什麼呢？尚之桃搖了搖頭，想將奇怪的念頭趕出去。

姚蓓說起她的戀愛：「他說要結婚，我爸媽說沒房不能結。」

「那妳的想法呢？」尚之桃問她。

「他家壓力大，父母都在鄉下，養老成問題。我如今也有一點現實，妳知道嗎？我們體系裡的女人都嫁得好。」姚蓓不再像從前了，二十歲的女人以為愛情是一切，可現在她被生活錘鍊過，知道女人除了愛情還要房子、車，還要擔心父母的養老，孩子未來的教育。女人要思考的問題真的太多了。在一個紅綠燈那裡，姚蓓嘆了口氣，輕聲說道：「桃桃，我想分手了。」

上一個是孫雨，男朋友出軌了，找了一個工作學歷都很好的女生，要奔向他們的大好前程；眼前的這一個是姚蓓，她看清了現實，決定在這個世界裡奔走。尚之桃突然覺得，一旦離開了那座校園，愛情就變得遙不可及。

她不知道該怎麼說，她自己還對這個世界混混沌沌，可身邊人的遭遇都在對她說：愛情不堪一擊，愛情不值一提。

可尚之桃哪裡還有時間去顧那些情情愛愛，她只要活著就很好了。得先活下去呀！不能再跟老尚和大翟要錢了呀！

姚蓓帶她吃烤串，主動要求喝酒。尚之桃不會喝酒，也主動要了一杯，兩杯，三杯，三杯啤酒下肚，飯還沒吃多少，就醉了。還有一絲清醒的時候打電話給 Lumi，聲音含糊不清：「老師您好，我喝多了……」

Lumi 在電話那頭嚷嚷：『在哪呢？跟哪個王八蛋喝的？』

尚之桃嘿嘿笑，姚蓓搶過她的手機，對 Lumi 說：「妳是桃桃同事吧？我們都喝多了，麻煩妳來送我們一下。」快速說了地址，一點也不把自己當外人。

Lumi 也仗義，穿上運動服就攔車來了，看著坐著的兩個女人，一個趴在桌子上，一個單手托腮，還行，沒鬧事。

「妳們真他媽行啊。」Lumi 指著姚蓓：「是妳打電話給我的吧？車鑰匙呢？」

姚蓓把車鑰匙給她，看 Lumi 扶起尚之桃，跟在她們身後。

「嘿，這小破車！」Lumi 調侃一句，將她們塞進車裡，好在姚蓓醉得不算厲害，知道尚之桃住在哪，Lumi 翻騰很久才在尚之桃吊帶褲口袋裡找到鑰匙，攙著她回家，掌心無意放在尚之桃胸前，順便捏了捏：「好傢伙，挺有料啊！」

尚之桃被她占便宜，還不忘打她手，她就這樣被 Lumi 送進了家，Lumi 幫她漱口擦臉裝水，然後又去送姚蓓。Lumi 也不知道自己造了什麼孽，大晚上被這兩個女人折騰成這樣。

尚之桃呢，睡得昏昏沉沉，起來喝了兩次水，也不知道酒醒了沒，恍惚間聽到手機響，還知道拿起手機，看到螢幕上模模糊糊的 Luke。

哦～～ Luke 啊，那個要開除我的人。

尚之桃第二天早上醒酒，仔細想了想昨晚的事，從 Lumi 送她回家後就什麼都記不起來了。依稀記得自己接過電話，拿起手機來看，是的，接過，Luke 的。

尚之桃想不起那通電話裡說了什麼，她瞬間精神了。想了很久，決定回電給他。

欒念拒接。

尚之桃又打了一次，他還是拒接。

幹。

尚之桃在心裡罵了一句，我在電話裡說什麼了？她拍了拍腦門，又寬慰自己別那麼緊張，措辭很久傳訊息給他：『嗨 Luke，我昨晚跟朋友喝了酒，醒來看到有您的電話打進來。我來確認一下，昨晚您有安排工作給我嗎？如果有……是什麼呢？抱歉我實在想不起來了。』

欒念瞄了眼訊息，將手機丟到一邊繼續開會。尚之桃更急了，又傳了一則：『是十分要緊的工作嗎？』

欒念還是不回她。

昨晚那通電話令欒念覺得尚之桃腦子裡有屎，說什麼她自己不知道？

今天的會是無聊的業務進展會，冗長的數字和報表，大段的文字陳述。這些東西會讓欒念暴躁。他喜歡簡約，任何繁複的東西都令他暴躁。

終於忍不住打斷：「我不針對任何一個人，但今天的業務進度會沒有任何意義。」他指指Alex：「Alex，剛剛Doris說的華南區Q3完成預估是多少？」Alex沒想到會被提問，愣了一下：「百分之九十多？」

欒念沒繼續追問，而是問Doris：「剛剛Alex說市場部預算申請駁回率多少？」

「百分之七十左右？」

欒念攤攤手：「這些敏感的數字都藏在繁冗的資訊裡了，這樣的會議開一天，能記住的內容有多少？沒必要，浪費時間。今天的業務進度彙報到這，請大家回去重新準備內容，明天再開一次。我的要求很簡單：重要的事情講清楚、核心進度所有人都要了解、所有跨部門合作必須達成共識、所有問題必須有解決方案。OK嗎？」

「好的好的，確實。」大家點頭。

Tracy 見大家緊張起來了，於是提議：「那我們開始下一個日程：溝通一下公司司慶的最終日程，會前跟市場部和企劃部溝通過，我們會請供應商選一個高端場地，請合作過的藝人來表演節目，宣傳片也將開拍，今年沿用往年的保留節目：主管表演，各位老闆可以商量一下今年出什麼節目。」

Tracy 見欒念不講話，就說：「Luke 讀書的時候也是組過樂隊的，怎麼樣，今年單獨出一個節目？」凌美只有 Tracy 一個人敢把欒念架到火上烤，欒念眉頭果然皺了。可 Tracy 不給他開口的機會，又繼續說道：「今年是 Luke 負責全盤工作的第一年，跟大家正式亮個相是十分必要的。」

欒念不愛表演節目，雖然他也和朋友一起租了一個排練室，偶爾會去唱歌，但那是為了解壓。

「那就這麼定了。」Tracy 替欒念決定了，而後朝欒念眨眨眼：「那勞煩各位今天商量商量演什麼，需要我們準備些什麼。稍後企業文化和市場部會成立司慶項目組，分別跟各位老闆溝通。」

Tracy 等人都走了才對欒念說：「剛剛主動提議你表演是因為你任命第一年，大家總是感覺離你太遠，太有距離感不利於你工作。還請你諒解。」

「真有禮貌。」欒念哼了一聲：「知道了，我安排。」

「演什麼？」

「脫衣舞。」

「那我先替公司女同事憧憬一下。」Tracy講完笑著走了出去。

欒念拿起手機，看到尚之桃三分鐘之前傳來一句話：『Luke……我……昨天沒說什麼不該說的話吧……』顯然是見欒念不接電話不回覆心慌了。慌就慌，關我屁事。欒念又丟開手機工作。

他每一秒的沉默對謹小慎微的尚之桃來說都是折磨。她在床上翻來覆去，她腦海中有各種念頭：我是不是耽誤工作了？我是不是跟他說你讓我辭職你算老幾了？我是不是說著話睡著了？

不管了，再打最後一次！又顫顫巍巍打給了欒念，卻意外聽到他的聲音：『有事？』

「我……」

『妳什麼？』

「我昨天喝酒了……今天起床看到您昨天打給我……」

『嗯，我昨天急著看拍攝專案的預算單。』

「哦哦哦，我這就傳給您。」尚之桃長舒一口氣。

『不用，Alex給我了。』

「那我……沒說其他的吧……」

『比如呢？』

「我不知道……」

欒念懶得跟她講話，徑直掛了電話。

尚之桃滿臉問號。沒有任何休假的心情，當天就銷了假，第二天一早就趕去了公司，一頭衝進電梯裡，看到拿著咖啡的欒念。

「Luke早。」尚之桃小心翼翼站到角落裡，偷瞄欒念。他怎麼面無表情？他……怎麼轉過頭來了？尚之桃來不及移開眼神，一雙忐忑的眼落到欒念的眼中。

欒念眉頭挑了挑，眼神緩緩向下，落到她胸前一下，而後聳聳肩。這一眼莫名其妙，尚之桃一張臉騰地紅了，這到底什麼情況？

還行。欒念心裡說，還算配得上她誇自己，她那天怎麼說的？

──「我跟你說，我身材很好，你不吃虧。」

像她這樣自薦枕席的人欒念還是第一次見，如果不是她喝多了，他當天就開除她讓她滾蛋。那麼多亂七八糟的話從她嘴裡冒出來，喝點貓尿就不知道自己姓甚名誰了。妳脫光了看我對妳有興趣嗎？什麼人都想往我床上爬？

電梯門開了，欒念長腿一邁先行走了出去，尚之桃跟在他身後像霜打的茄子。無精打采坐到座位上，又敲了敲腦袋：「妳倒是好好回憶啊！」抬起頭看欒念，他已經打開電腦開始工作了。

她提前結束休假，市場部簡直歡天喜地了。事情那麼多，尚之桃來了彷彿都看到了曙光。幾個人一商量，把司慶對接的事情給了尚之桃。

Lumi將椅子拖到尚之桃旁邊，坐下問她：「妳怎麼提前銷假了？連著週末休個長假多好？」

「我室友都走了，我一個人沒什麼意思。」

「哦……妳以後別喝酒了啊！」Lumi有點流裡流氣：「就那點酒量還出來現呢！」

「不喝了不喝了。」再喝酒說不定會出什麼事呢！尚之桃想了想，偷偷問Lumi：「那天妳送我回家……我沒說什麼……胡話吧？」

「說妳『技巧好』算胡話嗎？」Lumi壓低聲音：「尚之桃，我真看不出來啊，妳平時這麼乖，喝完酒挺豪爽啊！」

「不能吧……？」

「這樣，下次妳喝酒跟我說一聲，我帶個錄影機。嘖嘖嘖。」Lumi搖著頭坐回工位，留尚之桃一個人臉色發白。

過了一下Lumi才想起正事還沒說呢，於是又滑著椅子到尚之桃旁邊：「這個司慶的項目其實很好，雖然瑣碎，也不算KPI，但是妳可以趁機與各部門老闆熟悉起來。因為今年各部門的老闆要聯合表演節目，Luke也會單獨出個節目。」

「Luke？單獨表演節目？」Luke能演什麼節目，表演死人臉嗎？尚之桃心裡嘀咕。

「那我不清楚啊，之前他一直拒絕參與演出。說是今年被Tracy趕鴨子上架了。」

「哦哦哦。那我該做什麼呢？」

「等等 Tracy 會在內部溝通軟體拉項目組的群組，這個項目我不能帶妳，但是有什麼事妳可以直接找 Tracy。」

「好的。謝謝 Lumi。」

「不客氣。」

Lumi 講完了正事神情就變了，小聲對尚之桃說：「看了嗎？」

「什麼？」

「嘖嘖嘖，可精彩了。」Lumi 拿過自己的電腦，攬過尚之桃肩膀：「噓！」

尚之桃垂首看電腦，我靠，可真精彩。那郵件上赫然寫著凌美新任 CEO 公然玩弄女性感情，致使前女友自殺。尚之桃睜大了眼看 Lumi，她第一個反應是：「為什麼我沒收到？」

「可能是不知道哪裡搞了我們公司員工的郵件地址，挑了一批寄的。」Lumi 闔上電腦，撇了撇嘴：「這事，有內鬼啊！」公司文化多精彩呢，欒念剛任命就被人舉報作風問題，還寄到企業郵箱，沒有內鬼哪裡搞得來員工郵箱地址？

「妳信嗎？」Lumi 問她。

尚之桃果斷點頭，我信啊！她好想對 Lumi 說我聽過 Luke 講分手電話啊！我還聽到 Luke 約女人看音樂會啊！我還在廣州看到一個女人去了 Luke 房間啊！可她最終什麼都沒有說，又搖搖頭：「我跟他不熟……」

「不用管了，跟我們沒關係。Tracy那邊如果知道會啟動內審調查的。我們公司對這種事查得嚴。」Lumi講完碰了碰尚之桃手臂，下巴朝欒念辦公室抬了抬：「瞧，這不就去了？」

尚之桃抬起頭，看到Tracy進了欒念辦公室。

「怎麼了？」欒念抬起頭來問她。

Tracy將列印下來的郵件放到Luke面前：「看看。真沒想到今天一上班就這麼精彩。」Luke看到張欣實名寄的郵件，郵件裡的照片可真精彩，男人和女人十分親密的照片。欒念聳聳肩：「我沒這個癖好。」

「你有沒有我不管，但事情既然發生了，今天就要解決。你給我一個解決方案。」Tracy真的頭疼，這件事解決不了欒念就面臨被掃地出門的風險。

欒念將那張紙丟到紙簍裡：「除了妳還有別人收到嗎？」

「我讓IT查過了，百分之三十的同事收到了。」

「所以她是怎麼搞到我們員工列表的？妳工作出紕漏了。」欒念靠在椅子上看Tracy：「你們不會把員工資料賣出去了吧？」

「說你的事呢，別往我身上潑髒水。員工資料任何人都能洩漏。」

「那還不查？」

「現在說的是你的事。你能不能解決？」

「能啊。」欒念笑了：「找另一個女人站出來，再寄一封郵件，說這封是假的，我身材沒這麼差。」

……Tracy 被欒念氣笑了：「你不好好解決，我只能請內審和法務調查了。」

「同意。」欒念點點頭：「快點調查，如果涉嫌損害我的名譽，讓公司該告就告。」

「行。」Tracy 嘆了口氣走了。

欒念目送她離開，收回視線時看到從他辦公室前經過的員工意味深長看他。他對此無所謂，準備繼續工作。可尚之桃是怎麼回事？她傳來一則訊息：『Luke，我相信你。』

尚之桃心想，向上管理嘛，就是在老闆有困難的時候表示支持，哪怕她覺得那郵件裡寫的都是真的呢！只是那照片有點讓人失望，別看 Luke 平時穿衣服挺好看的，脫了也就那麼回事。

她這點虛情假意欒念見識到了，餵不熟的白眼狼。冷冷看她的工位方向一眼，低頭工作。

尚之桃以為自己向上管理結束了，準備開始好好工作了。Alex 說讓她今天把各位老闆的節目都統計完，其他老闆都非常配合，六個部門老大，兩個節目，不到五分鐘就統計完了。就剩欒念了。

於是又傳訊息給欒念：『Luke，我知道您心情肯定不好，但我永遠支持您。是這樣的，今天我們要確認司慶上您的表演內容，所以請您大概跟我說一下好嗎？』

『尚之桃。』

『老闆我在，您有什麼指示？』

『收拾東西滾蛋！』

尚之桃多少了解欒念，而今看到這句話不像從前那麼慌張了。欒念趕過她那麼多次，也沒見哪次真趕她走。過一下他就會忘了。

再說，他今天心情不好，對她發脾氣應該的，她全然接受。

『所以您表演什麼節目？』她又不怕死地追問一句。

靠。欒念罵了一句，尚之桃這個女人怎麼回事？她怎麼那麼氣人？欒念從來都是氣死別人的人，而今卻被尚之桃這個不長腦的氣個半死。

板著臉不講話，也是稀奇，看到張欣寄那語句不通的下流郵件不生氣，卻被尚之桃那兩句閒話惹急了。

到下班都沒回尚之桃訊息。Alex 問了三次，尚之桃終於坐不住了，決定去找欒念。她在門口問祕書：「Luke 現在有空嗎？」

祕書拿起電話打給欒念，然後有點為難的對尚之桃說：「Luke 說除了妳以外的任何人都可以。」電話還沒掛呢，欒念對祕書說：『一個字不差的跟她說。』這得多討厭一個人啊，祕書有點同情尚之桃。

「哦，好的，謝謝你。」尚之桃回到工位上，一直等著。欒念出辦公室時已經過十二點了，辦公室空無一人。尚之桃見他向外走，忙拎起背包跟了過去：「Luke 您下班啦？」

「妳這一天沒別的事幹了是吧？」欒念頭也不回地說，腳步一點也沒有慢下來。

尚之桃一路小跑跟著，還笑了兩聲：「那倒不是，工作很多，但您的節目 Tracy 和 Alex 問了好幾次。」

兩個人上了電梯，尚之桃因為追著他跑了幾步，此時氣有點喘。

「Luke，您……」

「尚之桃。」欒念開口喚她：「妳想知道妳前天晚上跟我說了什麼是吧？」

「啊……」

「妳說妳想跟我睡覺，還說妳雖然長得不好看，但身材不錯，妳說妳前男友說妳深藏不露，妳建議我試著跟妳睡一次。」

電梯開了，欒念走了出去，走了兩步又掉頭回來，伸手攔住即將關上的電梯門，看著臉紅成一顆鮮桃的尚之桃：「不走？」

尚之桃恨不能鑽到地下去。那天喝酒時姚蓓一直對她說，妳對誰有衝動千萬別忍著，大家都是成年人，只要不違反道德倫常，其他都無所謂。趁年輕，多體驗。她每次講這句話，尚之桃都能想起欒念。

欒念心情大好，收拾妳這個笨蛋還不容易？妳自己做的蠢事足夠妳後悔了。垂下眼看尚之桃紅著臉出了電梯，竟忍不住從喉間發出一聲嗤笑。

兩人分道揚鑣，他去取車出來，尚之桃果然攔不到車。一腳剎車踩在她面前：「上車。」

「不用了不用了。」尚之桃急忙擺手，欒念也不跟她多講，走了。愛上不上，關我屁事。後視鏡裡看尚之桃的身影越來越遠，秋風乍起，吹得她有點可憐，又掉頭開了回去：「妳上不上？」

「上！」穿少了，千萬別吹感冒。

尚之桃坐在欒念車上覺得有點憋悶，她想替自己解釋幾句：「Luke，是這樣的哈……我那天喝多了……可能說了一些胡話，您別介意。」

「所以我是妳性幻想對象？」欒念偏過臉來看尚之桃：「妳自慰的時候想的是我？」他在國外待那麼多年，這種開放話題在他看來沒什麼不能講。更何況尚之桃這個呆子看起來乖巧懂事，卻滿腦子淫穢思想，挺逗。

「我……」

「妳什麼？要不然跟我回家？」欒念繼續逗她：「反正我也有一段空窗期了，我們都別認真，怎麼樣？」

「不用了不用了。」尚之桃擺手：「別委屈了您的寶貝。」

「我幫妳實現願望，妳道謝就好。不用太客氣。」

「您這樣騷擾下屬不好。」

「是嗎？」

欒念拿出手機，點擊播放錄音，尚之桃聽見自己含糊不清的聲音：『我挺想跟您睡一次的……』她慌忙拿過他的手機按了暫停鍵，而後將手機丟回給他。

「所以是誰騷擾誰？」

「我騷擾您我騷擾您，我錯了。」尚之桃舉手投降：「我承認我那天有點躁動，我清醒時可沒這種想法。請您相信我。」

「人在醉酒的時候才敢講真話。」

「真不是真不是。」尚之桃擺手：「Luke 麻煩您在路邊停車，我在這附近約了人……」

欒念看到前面的地鐵站，在路邊停了車，看到尚之桃落荒而逃，大笑出聲。

尚之桃覺得自己完蛋了。她怎麼能說出那麼放肆的話呢？她原本也不是那樣的人，怎麼到了欒念面前就變成了那樣。

她懊惱一整個週末，欒念卻不放過她。他在半夜傳訊息給她：『來嗎？我家。』

『我舉報您啊。』尚之桃的反擊一點氣勢都沒有，帶著心虛。

『錄音？』欒念的意思是忘了我有妳的錄音了？妳告發我？他並不是真想讓尚之桃去他家，單純覺得她挺好玩，逗她逗上癮了。他的那點桃色新聞和壞名聲一點也沒影響他的心情。他將手機丟到一旁，笑出聲。

尚之桃每天躲著欒念，像老鼠躲著貓。有時偶爾遇見，欒念滿臉正經，卻傳訊息給她：『喝酒了嗎？』喝酒代表失態，欒念死死捏著尚之桃的命門。尚之桃看手機一眼，抬起頭就滿臉通紅，Lumi覺得她不正常，忍不住問她：「妳手機裡存黃圖了？」

「……」

我手機裡沒有黃圖，我手機裡有個王八蛋。尚之桃心想。

有時又沒辦法避免，比如彩排。

要彩排三次，老闆們要配合走個過場。尚之桃負責對接彩排，將現場導演的安排跟老闆們溝通，跟別的老闆們溝通沒事，但跟欒念說的時候，尚之桃不敢看他，有時看他一眼，又會騰地紅了臉。她這樣臉紅，看在欒念眼中就是她對他明晃晃的喜歡。欒念有點不知好歹，想藉著她對他的喜歡肆意行凶。欒念心裡的欲念接二連三地動，甚至沒有發現他對尚之桃，分明有蓄意接近的嫌疑。

終於熬到司慶那天。

欒念一直沒公布的節目資訊要面向大家了。他是第一個節目，尚之桃站在周邊維持秩序，看到舞臺上搬來了樂器。Tracy 特意去後臺徵求欒念意見：「拍你的照片傳給校友們看怎麼樣？」

「給錢。」欒念正在解身上那件緞面襯衫的釦子，一件隨性的牛仔褲將他的腿襯得越發長。Tracy 看到他這樣，嘖嘖一聲：「老天爺真是給了你好皮囊。」

「內審怎麼樣了？」

「進行中。你擔心？」

「我不擔心。」

欒念的朋友們走了進來，風格各有不同，卻都透著腔調。今天公司裡說不定有多少女同事要瘋狂了，Tracy 想。

同事們都在圓桌旁就坐，尚之桃恍惚之中看到有人跳上舞臺，鼓棒敲了幾下，演奏聲起，燈光也亮了。

抱著電吉他的人，穿著緞面襯衫，衣釦解開了幾顆，半遮半掩的好看胸膛。尚之桃從來沒見過欒念這樣笑，嘴角上揚，露出雪白的牙齒，有一點壞，又陽光燦爛。她的心不知道被什麼擊打了一下，竟然有一絲微微的疼。

他們改了〈I Hate My Self For Loving You〉，欒念的手指在吉他上翻飛，笑著看向同伴，他們之間的默契是用數年培養出來的，神采飛揚，自信狂妄。同事們瘋狂了，站起來跟著音樂搖擺。尚之桃沒有聽過這首歌，也沒見到過這樣的欒念，他光芒繁盛，用這無人企及的魅力將人的信念擊破。

「這爺們真是太帥了！」Lumi 為欒念叫絕，她側過頭看到尚之桃看向欒念的目光，突然在她耳邊大聲喊：「尚之桃，有些人妳可以跟他睡覺，但永遠別愛上他。」

Lumi 的話尚之桃懂，她是在說：你們不是同個世界的人，欒念是業內頂尖的創意大師，他尖銳、富有、英俊、才華橫溢，而妳只是那個努力又平平無奇的人。愛上他妳會受傷的。尚之桃當然懂，她沒有那樣的奢望，可她被欒念的光芒吸引。

她也想變成欒念那樣的人。她讀書時也在臺上唱過歌，她差點忘了自己那時偶爾也有一兩個閃亮的瞬間。

「睡了他，就今晚。」Lumi 對尚之桃開玩笑，甚至推了尚之桃一把。

「別別，今天想睡他的人太多了。」尚之桃笑出聲，聽到對講機裡傳來講話聲：『還有一分鐘首個節目結束，準備開餐。注意清場。』

清場，那說的就是尚之桃帶的這個維護秩序小組了，欒念的演出結束了，大家齊聲喊：「Encore！」欒念似乎心情不錯，又唱了一首歌。

等他結束了表演，尚之桃心裡那陣莫名的小風颳完了，她站在場邊看同事們晚宴，也會欣賞臺上的節目。擔心同事們撞到摔倒，時常提醒大家：「注意腳下哦」、「慢點走哦」，也引導上菜：「別碰到人哦！」兢兢業業。

欒念跟譚勉講話，餘光看到任勞任怨的尚之桃，她穿的那身工作服有點颯爽的勁頭，白襯衫塞進黑色西褲裡，頭髮高高束起，還像模像樣拿著對講機，有點中南海女保鏢的樣子。欒念噗哧一聲笑了。尚之桃煞有介事的樣子還挺好玩。

「怎麼了？」正講著話的譚勉問他，他則搖頭：「沒事。」

晚宴的固定環節是敬酒，欒念即便再少喝，跟每人啜一小口，也要喝個三五兩。很快，老闆們帶著各自的下屬開始在場內敬酒，先介紹下屬，而後就是客套話：「合作愉快呀」、「承蒙關照呀」，講著話，眼睛卻盯著欒念那桌，一旦圍著的人散了，下一波人趕緊上前。

Alex塞一個分酒器到尚之桃手中，加一個小酒杯，尚之桃忙說：「我今天不能喝哦！要工作到清場。」

「白水。」Alex朝她擠眼：「人多，他不會每個聞，湊個數，走吧。」

市場部的男男女女跟在Alex身後湊到了欒念面前，Alex的手搭在欒念肩膀上：「Luke剛剛那個表演太精彩了，魅力四射啊！」

「對！太性感了！」Lumi開口迎合，大家笑出聲。尚之桃縮在人後沒動靜，生怕欒念聞她的酒杯。Alex開始逐一介紹員工，每介紹一個，大家都懂規矩的讓那人到前面去。到了尚之桃，欒念的眼神落在她的分酒器上：「市場部的女生酒量不錯。」沒來由講了這一句，而後手落到分酒器上。就像上學時候老師抽查作業，每次都恰巧抽查到尚之桃一樣，欒念抽查到了她。

完蛋了。Alex也有點緊張，尚之桃這孩子可真倒楣，什麼壞事都不能做，一做壞事肯定被抓到。

欒念聞了聞尚之桃的分酒器：「今天鼻炎發作了。」而後將分酒器還給她。料她也沒膽量再喝酒了。

大家為尚之桃逃過一劫而笑出了聲。

酒杯碰到一起，欒念笑著說：「大家辛苦，一起努力。」

晚宴持續到十點才散，譚勉喝多了，欒念安排劉武提前送他回去。等散場了，他自己叫代駕。Alex 有眼色，對欒念說：「這個時間不好叫車，市場部派個人送 Luke 回去吧。」

「也好，辛苦了。」欒念收起手機。

Alex 去找人，看到剛換好衣服正在吃水果的尚之桃，她忙到這個時間，就吃了一小塊糕點，從後廚找來一份果盤果腹，然後準備回家。

「Flora。」

「Alex。」

「會開車嗎？」

「會啊。」尚之桃上週末才剛拿到駕照，此時還處於莫名自信中：「怎麼啦？」

「妳去送一下老闆。」

「好嘞！哪個老闆？」

「Luke。」

「……行！」

Alex 找到人了，帶著尚之桃去欒念面前：「讓 Flora 送您。」

「妳會開車？」欒念眼睛立了起來。

「會，當然會。」尚之桃不服輸，揚起脖子。

欒念不好駁 Alex 面子，只得說道：「那辛苦 Flora。」

「很高興為老闆服務！」尚之桃口號喊得響，跟在欒念身後去了地下車庫。

大家走得差不多了，飯店的地下車庫沒什麼車了。尚之桃心想，出車庫應該挺容易。走到欒念的車前，發現他換了車。尚之桃的夢想座駕。她上車前謹遵教練教誨，前後左右走了一圈，觀察了四周情形，跟作法一樣。然後朝欒念伸手：「Luke，您的車鑰匙勞煩給我。」

欒念突然有點後悔，Alex 的面子有什麼不能駁的，尚之桃開車跟作法一樣，怎麼有點嚇人。但又不好顯得太小氣，只得將車鑰匙放在她掌心。

尚之桃信心滿滿，這有什麼啊！教練可是說她很有天分的！上了車，調座椅，調後視鏡，繫安全帶。駕訓班教的那套還熱乎乎的呢，一點也沒忘。然後插上車鑰匙，掛檔鬆手剎車，心裡甚至還來了一句：「走吧您吶！」

「咣」一聲。

出庫容易，前提是行駛方向得對。

欒念的酒瞬間醒了。他坐在那一動不動，尚之桃也一動不動，也不敢講話。

過了半晌，欒念才開口：「駕齡？」

尚之桃伸出一根白嫩手指，有點心虛的說：「一週。」

欒念覺得自己的頭蓋骨快要被氣開了，一週妳他媽敢說妳會開車！忍著衝動不去掐死尚之桃。尚之桃卻不怕死的說：「Luke……我們得……打電話給保險公司……」

這車欒念花了兩百萬，上週末剛提，今天第一次開出來，這可真是巧了，這車的歲數跟尚之桃駕齡一樣長。

尚之桃認罪態度很好，主動提議道：「您看這樣可以嗎？我陪您一起等保險公司，畢竟您是車主。」

欒念瞪了她一眼，靠在座椅上醒酒。這磨人的安靜令人毛骨悚然，尚之桃的肚子叫了一聲，打破了這尷尬，讓氣氛變成另一種尷尬。

「沒吃飯？」欒念問她。

「沒有……」

欒念嘆了口氣，打電話給劉武：「等等你折返回場地幫我處理一下事故，我先走了。」劉武也不多問，只是痛快的答應：『行，您先走。我去處理。』

兩個人出了車庫，周邊已經沒有人了。好不容易攔到一輛車，尚之桃忙說：「先送這位先生。」尚之桃討好欒念，怕他反應過來讓她賠錢。欒念那車撞那麼一下，她半年薪水都能賠進去。

欒念也不作聲，看著尚之桃獻殷勤。男人嘛，對車的感情就像對女人一樣，剛提的車被尚之桃撞了，再大度也想訓她一頓。在車上又不好訓，怎麼訓？等等計程車司機還笑他小氣了。強忍著到了地方，丟下一句：「下車！」

兩個人站在寒風裡，欒念卯足了勁想好好訓尚之桃一頓，她大概也知道錯了，眼看著別的地方不敢看他。

「妳到底會不會開車？」欒念對她瞪眼睛。

「會啊……我有駕照啊……」尚之桃很委屈。

「有駕照不等於會開車。」欒念看她好像快哭了，心裡勸自己，罷了罷了，沒必要，有保險。

尚之桃的肚子又叫了，她太餓了，今天一大早就進會場，中午只吃了幾口便當，晚上剛吃水果就被 Alex 拉來送欒念，餓得她快吐了。

欒念瞪她一眼，丟下一句：「我也餓了。走吧。」

「去哪？」

「當然是去我家吃東西，不然去哪？」

「不方便吧？」您的桃色新聞還沒解決呢，心可真大，回頭我舉報你勾引女下屬。

「妳有病吧？」

「……」

尚之桃一想，也對，說欒念跟她，大家八成會說：「尚之桃得費多大力氣才能搞到 Luke 啊，下藥了吧？」欒念的桃色新聞無論如何也傳不到她頭上，他們之間看起來清白得不能再清白了。

尚之桃跟在欒念身後去了他家，站在門口有點拘謹。欒念指著鞋櫃：「自己換鞋。」

「哦。」尚之桃換了鞋，起身時看到欒念脫掉了外套。肩膀挺闊，腰身又收得好，真的好看。

欒念去到廚房，他今天喝了很多酒，也沒怎麼吃東西，胃就很空。尚之桃跟在他身後，看他從冰箱裡拿出義大利麵和牛排，他竟然還會做飯。她有點不好意思，輕聲問他：「需要我做點什麼？」

「不用。」

尚之桃做不到欒念那麼自如，好像對他來講與一個女人獨處一室是很平常的事。尚之桃只與辛照洲那樣相處過，可那時他們很熟悉很熟悉，熟悉到不會覺得拘謹。

她端正的坐在沙發上等著，而後看到欒念端了義大利麵和牛排出來：「過來吃。」

兩個人站在那個細長的吧檯兩側吃牛排，欒念吃了兩口，又轉身去榨西瓜汁。他覺得自己的胃被什麼東西膩住了，迫切想喝點涼的。也因為他抬眼看到尚之桃垂著眼，長長的睫毛動了動，讓他心癢難耐。

八成是空窗久了。欒念找不出什麼合理解釋，忽略了他之前對尚之桃生出過的念頭。一杯西瓜汁裡有大半杯碎冰，好不容易壓下心頭那把火。卻聽見尚之桃對他說：「可以給我一杯西瓜汁嗎？」

尚之桃也渴，她覺得自己有一點腿軟，說不清為什麼。

欒念放了一杯西瓜汁在她面前，看她吃完牛排，又喝了西瓜汁，她好像吃得很開心，眉眼彎彎，異常溫柔。吃完了對他道謝，姿態乖巧：「謝謝Luke，那我不打擾您啦！」

尚之桃穿上外套走到門口，她想回頭跟欒念告別，卻看到他靠在牆上，看她的眼神幽幽的，與平常有一點不同。尚之桃想起今天欒念在臺上唱歌時她心中湧起的那絲疼意，告別的話堵在喉嚨裡。就那樣看著欒念，眼神怯怯的。又寫著一些不明不白的情緒，她自己說不清那情緒是什麼，從哪來的，又將在哪裡宣洩。

「妳有男朋友嗎？」欒念淡淡問她。

尚之桃搖搖頭。

「妳接受一夜情嗎？」欒念又問她。他問尚之桃接不接受一夜情，好像他經常一夜情一樣。

尚之桃沒被人問過這樣的問題，她從前的淺薄認知裡覺得性跟愛是有關聯的。可現在欒念問她，讓她思緒很亂。她搖搖頭，卻又點點頭。身體下意識向後，卻被欒念堵在了門上。

他的吻鋪天蓋地令尚之桃透不過氣，她有點想走，可當她的掌心觸到他的心跳，她繳械了。尚之桃分不清自己遵從的是欲望還是心動，她只是覺得她想留在這裡。

欒念嘗到她的舌尖，還有西瓜的清甜，碎冰的微涼，鼻腔湧入她乾淨的味道，那麼不尋常。

年輕的女孩一旦情動，就會將身體內翻湧的情感傾瀉表達，淋漓盡致卻又乖巧柔軟，哪怕欒念凶狠異常，她也覺得那好極了。

欒念想要一段單純的性關係，他不用投入過多感情、不需要費心維繫，合拍就在一起，不合拍就散，他為自己的行為找到很好的藉口：戀愛太令人費神。

尚之桃掌心貼著他脖頸的肌膚，始終不敢睜眼。汗水打濕了彼此的衣服，欒念的襯衫從頭到尾都沒有脫掉，他們就在欒念家裡的那道門前完成他們之間第一次性愛，激烈的性愛。

那天的情形令人永生難忘，當尚之桃離開欒念後的某一天，那天颳很大的風，她坐在窗前看北國的風將樹的枝椏吹得七零八散，突然就想起她與欒念之間的這個夜晚。她可能永遠都不會再有那樣的激情和不顧一切，欒念在她身上種了一個蠱，讓她那幾年不停被拉扯，卻無法邁出離開他的第一步。

當一切都結束了，他們兩個人都不再講話。仔細回想，根本無法追溯剛剛是怎麼發生的，情緒來得突然，過程又激烈，根本不給人任何時間思考。尚之桃終於冷靜下來，她意識到自己也陷入了欒念的桃色事件中，太荒唐，太幼稚。她做不出四處張揚這件事，欒念卻能不聲不響開除她。她小心翼翼揣摩欒念的心思，猜想欒念大概並不想為此費神。

於是她想了一下，終於開口：「Luke……剛剛，我是說剛剛是個意外，我們都是成年人，一夜情很正常，我們千萬別因為這個尷尬，謝謝你。」她還對欒念說謝謝，然後背對著他整理衣物，穿戴整齊了就站起來：「那個……我走了哈。」她把他們之間發生的事歸結於一時衝動，這樣以後見面也別尷尬。欒念有沒有感覺吃虧尚之桃不知道，但她沒有吃虧，甚至覺得剛剛的體驗太棒了。

別人一夜情是這樣告別的嗎？或者她應該留點錢給欒念？他服務挺好的……她胡思亂想出了門，欒念始終沒有講話。

可尚之桃出了門又覺得可惜，怎麼不多待一下呢，以後就睡不到了。她快走到欒念社區門口，夜晚的風很大，大到讓她躑躅不前，一咬牙又轉身走回他家，手放在門鈴上，還沒有按，欒念就開了花園的那扇外門，一把將尚之桃扯了進去。

還是沒有講話，欒念抱起尚之桃將她帶向二樓的臥室，他的衣服擦著她的臉，她的唇主動尋找到他的，尚之桃的熱情令欒念意外，他將她丟到床上，身體傾覆上去，啞著聲音問她：「為什麼回來？」

「想到以後不會再有，就覺得可惜。」尚之桃難得這麼大膽，她這輩子所有的膽大妄為都用在了那一晚。她真的喜歡與欒念肌膚之親，那感覺棒極了。

欒念的唇印在她脖頸上，牙齒輕輕抵住她的肌膚，輕聲說道：「只要妳想，隨時可以。」尚之桃覺得自己的身體重建了，她和辛照洲分手的時候誤以為自己這輩子再不會有別人了，她那時覺得自己的身體只能接納辛照洲，現在的她恍然大悟，當女人脫離那些老舊思想的桎梏，只依照本能去探索的時候，身體的解放竟然這麼容易。

這簡直太棒了。

這一夜他們幾乎沒有講話，在沉默的鬥爭中一次次將彼此融進身體裡，尚之桃覺得自己變成了早春雨後地上的泥，無論如何都疊不出形狀。

是天將亮時才想入睡。床上突然多了一個人，誰都不習慣，尚之桃如是，欒念亦如是。他自在慣了，家裡連個住家保姆都不肯請，他從不跟女人睡在一起。兩人各自扯著被角守在一側，尚之桃突然想到：一夜情的人都是結束了就走吧？情侶才會過夜。於是清了清喉嚨問欒念：「Luke，您家裡有客房嗎……」

「旁邊。」

「我可以去客房睡嗎？」

「嗯。」

尚之桃如釋重負，胡亂套上衣服去了旁邊房間，這一夜鏖戰令她睜不開眼，沾了枕頭就睡著了。心真是大。

欒念卻睡不著。昨晚到底發生什麼了？他怎麼對向之桃下手了？他有點懷疑自己，包括他講的那句：只要妳想，隨時可以。

靠。他瘋了嗎？她想他就可以了？這輩子還會有昨晚那樣的失控？不可能的。他又有一點生氣，看不出來尚之桃還挺開放，一夜情很正常，挺好，妳能這麼想，我可真是太欣慰了。

欒念胡思亂想很久，終於睡著了。這一覺睡得非常好，昨晚的酣暢淋漓好像在他體內裝了一個睡眠開關，讓他的入睡變得十分容易。這一覺不知道睡了多久，睜眼已經是傍晚，欒念有種任督二脈久違被打通的感覺，神清氣爽，心情愉悅。他跳下床去沖澡，突然想起旁邊客房還睡著一個人，於是敲門：「該起床了。」

沒人應他。

推門進去，床上乾乾淨淨，哪裡還有睡覺的痕跡？枕頭一張紙，寫著幾個字：「昨晚辛苦Luke了。」龍飛鳳舞的字，透著俐落風骨。

？？？昨晚辛苦Luke了？尚之桃把他當鴨了？留張紙條拍拍屁股招呼都不打，走了？

欒念又被尚之桃氣笑了，這女人真行！將那張紙順手丟進抽屜，轉身下了樓。他心情有一點好，吹著口哨去了健身室，上了跑步機。心率攀升，運動分泌的多巴胺令人興奮，但比昨晚差點。尚之桃那麼乖巧的女生，卻有著驚人的熱情，欒念想起她咿呀一聲，捧著他的臉去尋他的唇，要給他們之間的放肆一個溫柔的結尾。

譚勉打電話叫他去喝酒，他應了，換上衣服出了門。

欒念身上帶著一股身體饜足的倦怠，又有一點意氣風發，譚勉的目光在他身上掃了幾個來回，意味深長地笑了。

「怎麼了？」欒念坐下看他。

譚勉指了指他的臉：「你滿臉寫著：我昨晚性生活不錯。」

欒念揚揚眉不回答他，這令譚勉好奇：「交新女朋友了？」

「沒有。」

「有床伴了？你是這種人？」

「我是哪種人？」

「隨便一夜情的人？」

「關你屁事。」

欒念懶得解釋，這是他的私生活，他也不想剖開給別人看。譚勉卻不依不饒：「不能說？你從前可不藏著掖著。」

「難不成我還要跟你介紹一下？」

「所以你真有床伴了？」譚勉是一定要知道答案的，他平常也沒什麼消遣，冷不防遇到一件這麼好玩的事打定了主意探尋。

欒念靠在椅背上，一副半死不活的樣子，過了很久才丟出一句：「意外。」

把這一晚當成意外，完全忽略了自己的蓄謀已久。是在廣州他那一眼落在尚之桃身上時，就起了滿心壞心思。一邊壓抑自己，一邊想造反。

「意外好啊，大都市男女每天都會遇到意外。」譚勉朝他擠擠眼。

「你真是管得寬。」欒念這樣說譚勉。

按道理說他應該會對昨晚發生的事感到後悔，他其實自認是一個很膚淺的人，他並不需要女伴多有才華，好看就行。他單純喜歡長得漂亮的女人。耀眼的美刺激他的頭腦產生更多創意。尚之桃只是一個那麼普通的女生，又沒有聰明的頭腦，她沒有一點符合他對女人的期許。

但他不後悔，甚至覺得非常愉悅。早上還信誓旦旦說自己絕不會跟尚之桃再一次的人，這時又開始搖擺不定。欒念有些意外，他從來不是拖泥帶水的人。

今天是怎麼了？

第八章　保守祕密

尚之桃在欒念家中那無比舒適的床上醒來，看到透過窗簾的那縷陽光，猜測時間或許已到了午後。她愣了一下，爬起來去了洗手間。在馬桶上坐了很久，什麼問題都沒解決。說到底還是不習慣。她默默稱讚自己的膀胱，真是一個能辨大事的膀胱。洗了臉漱了口，套上衣服，將床鋪好，寫了張紙條放在枕頭上，輕手輕腳出了門。

昨晚沒摘隱形眼鏡，這時眼睛乾澀，也不敢眨眼。被風吹著小心翼翼眨一下，生怕隱形眼鏡眨出來，就那樣站在欒念社區門口攔車。社區保全偷偷看她，覺得這女生看起來不像是特殊職業的人，但這個社區裡的住戶可不會自己走到門口攔車。尚之桃朝保全友好的笑笑。

秋天午後的陽光溫和清透，令人滿意，除了風。為什麼北京的秋天要颳這麼恆久的風？她看著街道邊的樹被風吹得搖擺不定，又想起自己，攀附欒念的身體，像那棵立不穩的樹。

辛照洲也令她快樂，可他們帶給她的快樂並不雷同。辛照洲總是問她是這樣嗎？是這裡嗎？好不好？他時時刻刻在意她的感覺；欒念不，他不詢問，他完全主導，甚至談不上溫柔，但會令她瘋狂。

尚之桃覺得自己很奇怪，她以為自己會受到良心的譴責，諸如妳竟然一夜情？妳竟然發生沒有愛的性？但她沒有。原來我這麼開放啊！她悄悄幫自己定義。

坐在計程車上，看到街邊一閃而過的樹會想起欒念；看到天上的雲，也會想起他。欒念太耀眼了，尚之桃二十二載光陰裡沒有遇到過這樣的人，她對他充滿好奇，也被他吸引。

她下了車跑回家裡，看到孫雨坐在沙發上朝她勾手指，紅著臉跑回房間，換了一件高領襯衫。孫雨跟了進來，關上門坐在她的床上，頗有興致的看著她：「要不要交代一下昨天晚上幹什麼了？」

尚之桃抿著唇不講話，坐在孫雨旁邊。衣領再高，遮不住她脖頸上那三兩處痕跡，孫雨眼尖，手指扯了扯她衣領：「哎呦，談戀愛了？」

尚之桃忙搖頭：「我沒談戀愛。」

「那這是怎麼回事？」

尚之桃不知道該怎麼說這件事，孫雨一定會笑她道德敗壞的。可孫雨纏著她不放，還捏她臉：「快交代！」女孩子的快樂就是這麼簡單，能坐在一起八卦些什麼就很開心，尤其要分享的是其中一人的情史。

「是跟妳說過的讓我離職的老闆。」尚之桃終於講了，她好像還沒從昨晚的氣氛中走出來，想到欒念又會臉紅。她後來也有其他朋友，可她只跟孫雨講起過欒念，甚至沒有對姚蓓說起過。她莫名信任孫雨，而孫雨呢，死守著她的祕密，成為尚之桃關於欒念的情感的唯一出口。

「妳睡了妳老闆？睡了讓妳離職的老闆？」

「是意外。」尚之桃終於想好了說辭：意外。他日若有一天與人聊起，她可以說：我那時也有過一次意外。

「到底是意外還是預謀？我知道妳肯定是意外，妳的老闆也是意外？」孫雨不肯信，男女之間很多事看似意外，實則早有預謀。在孫雨看來，她這個單純的室友被她的老闆「預謀」了。

「應該不是……」尚之桃矢口否認，肯定是意外，欒念是什麼人？他都沒正眼看過自己，怎麼就能預謀了？

「好啦好啦，那不重要。重要的是……」孫雨壓低聲音：「怎麼樣？」

孫雨問怎麼樣，尚之桃又想起欒念的汗珠落在她臉頰，他低頭吮去，又將那鹹濕送到她舌尖。

「不用答了，我知道了。」孫雨笑出聲：「我們小桃桃昨晚通體舒暢了。」

「我這麼做是不是不對？」尚之桃問她。

「哪裡有對不對？妳自己高興就好。」孫雨拍拍尚之桃肩膀：「跟妳說，我從前的公司裡有幾個同事，他們有固定性伴侶。」

「固定性伴侶跟談戀愛有什麼區別？」尚之桃有點不懂。

孫雨看她的迷糊樣大笑出聲：「妳呀妳……固定性伴侶只解決需求，不需要付出感情。

因為談戀愛很麻煩，可大家又很忙，所以有一個這樣的人能省去不少事。」

「哦。」

尚之桃沒睡夠，她有點睏了，打了個哈欠倒在床上，想起晚上還跟龍震天約了英語課，於是蓋著被子補覺。閉上眼睛就是欒念，他的呼吸貼在她耳骨，他那麼冰冷的人，做愛的時候卻喜歡吻人，掌心貼在她脖頸上，虎口貼在她下巴上，拇指食指捏著她的臉，將她拉向他，凶狠地吻她。那麼薄情的嘴唇，吻起人來卻滾燙。

尚之桃想：我完了，我好像有點上癮。

她從床上跳下去，跑到孫雨房間，認真問她：「妳上癮過嗎？跟妳前男友在一起的時候。」

「嗯？」

「就是閉上眼睛就是他，想跟他做點什麼。」

「當然。」孫雨咯咯笑出聲：「尚之桃，妳完了。要不要我幫妳出個主意？」

「什麼？」

「問問妳那個老闆，要不要做妳的固定性伴侶。」

「不。」

尚之桃又跑回房間，她覺得自己完了。起初跟辛照洲有肌膚之親的時候，她並不喜歡，因為她總覺得那種感覺很奇怪。是在一個晚上，他們在鄉下的小屋子裡，辛照洲用了很長時間吻她，溫柔、綿長，她是在那一次後覺得這其實也很好。可那時辛照洲就在她身邊，就與他同一間學校，他們每天泡在一起，週末偷偷出去，尚之桃不需要上癮，因為辛照洲就在那。

她在傍晚起床。跟龍震天約了練口語，哪怕這一天無數次想起欒念美好的身體，傍晚仍忘掉了他，去做計畫好的事。

她和龍震天在後海邊相見，龍震天與她聊天，語速很慢。尚之桃如果遇到聽不懂的單字就打斷他，請教他。龍震天對他說，他之所以來中國，是因為他喜歡穿旗袍的女生。旗袍是世界上最美的衣服，只有中國女生能穿出風韻。他還問尚之桃：「妳穿過嗎？」

尚之桃想了想，問龍震天：「活動禮儀算嗎？」

她可不是穿過嗎？大一被拉去做社團活動禮儀，穿著緞面小旗袍，端著裝著名片的小托盤，別提多滑稽。

龍震天這樣陽光燦爛的高大外國人，尚之桃這樣乖巧可愛的中國女生，兩人走在一起就惹人遐想。尚之桃甚至能看懂路人目光的含義：又一個費盡心機要嫁老外的。

「所以剛剛那句怎麼翻譯？」尚之桃問。

「用你們中文說的意思是：經一事，長一智。」龍震天耐心回答她。

「哦哦，謝謝。」尚之桃隨身帶著錄音筆，在她每次與龍震天見面後回去的路上，還會反覆再聽兩遍他們之間的對話。龍震天是一個特別好的老師，耐心而友善，當他糾正尚之桃的口音時也是那麼可愛：「oh～妳的腔調可以去英國生活。」

尚之桃起初還覺得不好意思，後來就覺得無所謂：我是在學習呀！如果我什麼都會，那我為什麼要學習呢？我就是因為不會所以才要學習呀！

她這樣想，就將顏面放下了。

尚之桃在畢業後忽然真正愛上了學習。她開始覺得學習其實很有趣，知識無窮無盡，像宇宙，浩瀚如海。每當她意識到自己又進步了一點，她就很開心。她會跟姚蓓、孫雨、Lumi分享，她會說：「等我學完英語，我還想學法語和日語。」

大家以為她說說而已，可她不是。像今天，無論前一天發生了什麼，無論她疲憊還是難過，她都會如約與龍震天見面，他們談天說地，在這歡聲笑語之中，世界一點點在尚之桃眼中打開。新奇的世界。

她與龍震天告別，在回程的地鐵上想起孫雨的話：「妳可以與他做固定性伴侶，那省去很多麻煩，又能解決問題。」

尚之桃正視了自己的欲望，她在手機裡打字又刪去，刪去又打，終於傳了一則訊息給欒念：『Luke，我們可以做固定性伴侶嗎？』

後來的尚之桃回憶起當時的自己，她無法解釋那時她為什麼會做那樣的事，為什麼要傳這樣的訊息給欒念。她當時以為自己勇敢，後來卻認清那是一場荒唐。那樣的開始，又能有什麼樣的好結果？

為什麼人總是會在年輕的時候做那麼愚蠢的事，好像愚蠢根本不需要付出任何代價。

欒念正在跟譚勉喝酒，看到手機亮起，尚之桃的訊息進來了，他眉頭皺了皺，不由自主的。他覺得尚之桃似乎是幫自己找到了一條活路，甚至覺得尚之桃想出賣自己的身體。又或者她在乖巧的外表之下就是藏著一顆時刻想撒野的心。

她或許也高估了她自己在床上的表現，雖然他承認那很不錯。欒念討厭交易，他覺得尚之桃在與他交易。

欒念對她說：『不好意思，昨天是個意外。』

『男人在分泌多巴胺的時候講的任何話都可以當成他在放屁。如果我有哪一句話讓妳誤會了，那我跟妳道歉。』欒念講話就是這麼刻薄。

尚之桃收起手機，指尖微微抖著。她知道是自己多想了，欒念昨晚那句「只要妳想，隨時可以」分明就是他說的那樣，男人在脫掉褲子說的話不作數，要看他清醒時怎麼想。清醒時的欒念根本看都不會看她一眼，所以昨晚可以歸結為他的「酒後亂性」。

那又怎麼樣？我又沒吃虧。找欒念這樣的鴨大概要花不少錢，但我一分錢沒花。我可真是太有本事了。尚之桃揶揄自己。

這一晚她睡得很好，將欒念拋在了腦後。

尚之桃情緒處理得很好，可到了上班時候就發了愁。她下了公車四下看了眼，沒有欒念，真好。撒腿跑進了辦公大樓。

沒人教她與上司一夜情後應該怎麼辦，她昨天偷偷搜過，網路上說：裝作什麼都沒發生，彼此都不會尷尬。

尚之桃忐忑到下午，開週會時聽到 Alex 跟 Lumi 說：「等等要跟 Luke 開線上會對一下 Q4 預算的事，妳和 Flora 參加。」

「不當面開嗎？」Lumi 覺得欒念這個人當面稍微好溝通一些，遠端會議他總會提各種各樣問題避免妳分神。

「他出差了。廣告行業峰會。」

「那行。」

尚之桃在一旁長舒一口氣，接過 Lumi 的表格開始寫公式算預算。Lumi 坐在旁邊看她寫 excel 公式沒有停頓，拍拍她肩膀對她豎起拇指：「桃桃，妳是這個。」

「哈？」尚之桃不明所以。

「我敢說妳的 excel 水準在公司能排第五了。前四是搞商業分析那幾個神仙。」

尚之桃微微紅了臉。

她下了功夫的，最開始她只會用簡單的公式，倒也能應付工作，但她覺得不夠好。於是開始系統化的學習，孫遠翥推薦了書給她，有時還會開深夜課堂，幫她和孫雨上課。尚之桃甚至動了研究資料視覺化的念頭。

「我只是覺得熟練一點可以提高效率。」

「妳覺得的非常對。」

Lumi 坐在她旁邊跟她一起整理資料，其實尚之桃現在已經不需要怎麼帶了，市場部的基礎工作她或多或少做過了一輪。她很踏實，做過的工作都認真的整理過，心裡清清楚楚。Lumi 對她放心。

兩個人中午都來不及出去吃飯，終於趕在下午的溝通會前把資料整理清楚寄給了 Alex。一般開預算會，老闆和專案負責人溝通就好，其他的人都是列席。尚之桃聽到欒念說：

『抱歉，上一個日程剛剛結束，我遲到了。』

「沒事沒事，我們也剛剛做完整理。香港熱嗎？」Alex 問欒念。

『還行。比北京熱一點。今天的列席人員都有誰？』欒念問。

企劃部和市場部各自介紹了列席人員，會議就算開始了。

尚之桃打開筆電記會議紀要，在座的每一位資歷都比她深，這種活不需要特意安排，她會主動做。而且做會議紀要其實能學到很多東西，尤其是跟欒念一起開會。他頭腦清楚，語言凝練，每次講話都直指問題，從不拖泥帶水。尚之桃在悄悄學習。

她有時會想，自己要是能變成 Luke 那樣的人該有多好？

今天的預算討論會開得有一點激烈，從第一個項目起，欒念就開始問ＲＯＩ（投資報酬率）預估。第一個項目是銷售部的行業交流會，在北上廣深香港重慶廈門幾個城市，邀請不同行業的甲方一起做研討。目的是客情維護。總體預算一千七百萬。

『擬邀客戶名單有嗎？』欒念問。

銷售部 Apollo 回道：「有的，我來寄一下。」邀請的客戶都是行業頂尖客戶。

欒念靜了幾秒後說道：『專案目標有問題，如果是客情維護，拉出來喝酒吃飯就好了，這些客戶五十萬足夠了，還能做得更好。我們為什麼要花一千七百萬去做五十萬就能達到目標的事？』

會議室的各位彼此看看。行業交流沙龍是凌美每年的必做項目，打造行業影響力的，所有人都沒想到欒念會首先對這個項目開砲。

「所以 Luke 建議怎麼調？」

『我的建議是：如果想不清楚，就砍掉。』

財務的 Selkie 朝他們聳聳肩。她在會前就打過預防針，她跟欒念開風控會，知道他多嚴格。可在座的老闆都不信，覺得他年紀輕輕上位沒有這樣的魄力。到底是低估了這個年輕人，他雖然年齡比他們小，但雷霆手段是不容小覷的。

「這樣可以嗎？」Alex 打圓場：「回去呢，Apollo 也帶著團隊一起重新溝通一下這個項目，客情維護只是很小一方面，打造行業影響力還是必要的。」

『如果是打造行業影響力，那我要看到可能會發布哪些報告，以及會有哪些結論。能請來哪些專家，帶來多少潛客。上次會議我們講到過公司業務轉型，中型客戶短頻快的專案也可以接，把這部分客戶也納入到邀請對象中來。』欒念直接提出了要求：『先把這些想清楚，再考慮後面要不要做。下一個項目。』

尚之桃看到銷售部老闆 Apollo 並不高興，她有些好奇，這樣的場合如果欒念跟他們面對面，他們會是什麼樣的反應呢？她從心底認同欒念提出的問題。她做市場幾個月，漸漸對預算有了感覺，那都是真金白銀要向外掏，花出去的每一分錢可不是要聽到動靜嗎？

「那我們溝通下一筆預算？」Alex 問。

『好。』尚之桃聽到欒念喝水的聲音，咕咚一聲，令他想起他接吻時滾動的喉結。欒念會像她一樣偶爾會想起那天發生的事嗎？

這個會議太刺激了，Lumi 在桌下踢尚之桃腳，而後傳了一則訊息給她：『全砍了哈哈哈哈，接下來一分錢不花。』

『我要嚇死了。』

會議室氣壓很低，沒有一個人開心，除了哈哈哈哈的 Lumi。Lumi 無所謂，錢又不是花她的，不花也不是幫她省的。她只是覺得痛快。用她的話講：「這些老東西也該收拾收拾了。」Lumi 可沒少因為錢跟這些大老闆生氣，花錢的時候大手大腳，內審的時候推三阻四，表面跟妳嘻嘻哈哈，背地裡講妳壞話。欒念這麼做，所有人都能收斂點。

欒念不傻，知道今天這個會開下來他會背不少罵名。但他無所謂。儘管如此，還是傳了一則訊息給 Alex：『你的部門要加班控預算可能會很辛苦，但你得明白，這件事上，我是在幫你。』

『我知道，謝謝。』Alex 又不傻，欒念這麼搞，他工作好做不少。

『市場部是公司的財神爺，你們控好預算才不會被抓小辮子。今年總部內審更加嚴，如果真仔細審下來，在座各位有幾個能通過？輕的通報，重的開除，最重的送進去都有可能。』

『這個我也聽說了。謝謝 Luke 出來唱這個黑臉。』Alex 知道欒念的好意了，他大概看出來了，他雖然管市場部，但拿那些人沒辦法。所以欒念今天跳出來整頓預算，不是下馬威，單純就是表個態。

Lumi 又傳訊息給尚之桃：『Luke 這爺們真性感。他每次這麼尖銳的時候，我都想扒了他的衣服看看他跟別的男人有什麼不一樣。』

別扒了，我看過了，不一樣。尚之桃在心裡說。好像她看過很多男人一樣，她只有辛照洲這一個淺薄經驗。

『Kitty 早上說我們內部聊天會被監視。』尚之桃回了 Lumi 一句，她有點擔心她們這樣議論欒念會被看到。

Lumi 笑出聲：『放心，監視不到妳我頭上，還有人講得更混。』

『哦哦。』

這個會太難熬了，欒念不停開砲，所有的人應接不暇。尚之桃突然覺得前幾個月她經歷的都不能稱之為職場，今天才是。針鋒相對，又都刻意收斂，看似認同，又暗流湧動。好不容易熬到會議結束，欒念突然問：『會議紀要誰記的？』

Alex看了尚之桃一眼：「Flora記的。」

『會議結束後寄給與會全員CC我。我等等還有晚宴，今天先到這裡，大家辛苦。』欒念掛斷電話。

尚之桃闔上電腦出會議室，看到手機彈出一則訊息，打開來看，是欒念：『跟他們確認二次彙報時間，在會議紀要裡一起同步出來。』

『好的。』

再無話。

欒念一副公事公辦的樣子令尚之桃鬆了口氣，這樣以後就不會尷尬了吧？她突然想到一個問題，是不是若無其事就能看起來體面？大概是的。妳看Luke，跟什麼都沒發生一樣。他處理這件事情的手段太嫻熟了，一看就是段位很高。

她跑去跟各位老闆確認下一次彙報的時間，大家顯然都心情不好，搪塞尚之桃：「我要跟團隊深度溝通一下，這個改動可不是小改動，相當於重新立項了。等我商量商量。」就是不說什麼時候能做完。

尚之桃有點為難，她坐在座位上措辭，覺得這個活簡直太燙手了。過了半小時左右，欒念已經在晚宴上喝完第一杯酒，沒有等來尚之桃的會議紀要，於是問她：『怎麼還沒寄？』

『老闆們沒確定好下次彙報時間。』尚之桃盡量說得委婉一點。

欒念大概知道了，尚之桃被他們拿捏了。她當初如實寫Luke勸我辭職的訪談紀錄的勇氣去哪裡了？欒念眉頭皺著，而後在高管群組裡說：『我想了一下，儘管改動很大，但預算必須本週敲定。請祕書約一個週三下午的會，屆時沒有新方案的團隊視為放棄預算。』然後繼續說：『Alex，讓你們部門記會議紀要的同事把剛剛的內容寄出來吧，我還要再看一下。』

『好。』Alex回得快，然後對尚之桃說：「就這樣寄吧。」

尚之桃點點頭，將會議紀要寄了出去。抬起頭看到Lumi朝她使眼色，兩個人朝走道看去，一個堪稱絕色的女人走在Tracy旁邊，進了Tracy辦公室。

「誰？」尚之桃用口型問Lumi。

Lumi拿出手機傳訊息給她：『妳沒看出來？Luke前女友，郵件上的那個。』

『比照片上還要好看。』尚之桃回了一句。

『聽說家境也非常好。』

『哦。』

因為欒念在預算會上的操作，各部門突然緊張起來。每個部門盤踞一個會議室，開始搞預算立項。市場部也不能走，隨時待命，因為說不定哪個部門開著會就會找他們：「這裡幫忙看看合理嗎？」就連尚之桃都覺得自己跟著市場部上升了一點地位。這種感覺可真不賴。

她跟著他們昏天暗地加了三十多個小時班，只在辦公桌上睡了幾個小時，這三十多個小時她徹底搞清了市場的預算邏輯。並不是你說花多少錢，我給你多少錢，你告訴我回收了什麼的簡單事情。而是每一步都有門道，每一步都可跟蹤和追溯。這就很有趣了。

學到了知識就很快樂，到了週三再開會時，尚之桃看到了市面上的一流方案。凌美的人都是精兵強將，放在任何一個場合都是人中龍鳳。這一版的方案好到讓尚之桃覺得上一版他們就是在混日子。

目標明確，行動方案扎實，每一分錢都預估得清楚。Lumi 對尚之桃說：「看到了嗎？這就是一頭倔驢該死的魅力。我大概明白為什麼董事會一定要他上了。不是他還能是誰？」Lumi 現在特別喜歡欒念，她甚至原諒了欒念平時的傲慢，覺得他不傲慢就不正常了。

Lumi 說欒念是倔驢，尚之桃忍不住嘿嘿笑了兩聲。

「妳笑什麼？不是嗎？」

「是是是。是挺驢。」尚之桃忙應和她。

欒念針對這一版預算立項沒有上一次的稜角，但還是提出了改進方向，約週五再過一版。在最後，他突然說：『我是不是太嚴格了？』

大家都愣了愣，不講話。

他自己卻笑了笑：『週五見。』然後結束了會議。

尚之桃回到家看到孫遠翥和張雷正在討論一個技術問題，他們討論無人駕駛技術。二〇一〇年，無人駕駛只是一個概念。但孫遠翥的公司卻投了預算在這件事上，他作為高精尖技術人才被調進了項目組。

「主要是在北京不好做測試，我們的模型沒有地方跑。只能去外地沒有人的地方。」

「技術不成熟，會有隱患。去外地也挺好。」

看到尚之桃的黑眼圈都停住了：「妳通宵了？」

尚之桃點點頭：「公司搞預算。你要去哪？」是問孫遠翥。

「西北。」

「那要很久嗎？」尚之桃有點捨不得孫遠翥，她習慣了他週末或者晚上跟她和孫雨講各種各樣的知識。他的頭腦中裝著一整個宇宙，有時尚之桃看著他會想，他一定讀過全世界的書吧？

孫遠翥跟欒念是兩個完全不同的人。欒念有稜角、堅硬、冰冷、光芒萬丈，孫遠翥溫和、內斂、腹有詩書氣自華。尚之桃會害怕欒念，但不會怕孫遠翥。

「是。」孫遠翥對她笑笑：「寄好吃的給妳。」

「只寄給尚之桃嗎？」張雷在一邊打岔。

「都寄。」孫遠翥臉微微紅了，對尚之桃說：「快去睡吧，妳看起來太疲憊了。」

「好。」尚之桃向房間走，又轉身回來對孫遠翥說：「你要注意安全呀！」

「放心。」

在北京飄泊就是這樣，哪怕同個屋簷下見一面都很難了。大家都加班、出差、聚會，每一天都安排得滿滿當當。尚之桃確實覺得很累，洗了澡就躺到床上，補了一覺。

到週五時她跟著同事們抱著電腦去會議室，一推門就看到欒念坐在那翻雜誌，雜誌上是他們公司為一個日化大品牌設計的平面廣告。

看到他們進來，他停止動作，將雜誌放到一旁，對祕書說：「分給大家吧。」他從香港帶回蓮香樓的糕點，無比精緻，每人一小份。尚之桃坐在第二排，接過糕點放到椅子自帶的小桌子上，抬起眼看到欒念的目光。他淡淡看她一眼，與看旁人無異。尚之桃想起自己前幾天總結的體面：坐直身體，若無其事，彷彿什麼都沒發生。又好像在告訴欒念：「Luke 你別擔心，我什麼都不會說的。」於是坐直身體，看起來無懼無畏。我本來也沒做錯什麼，她這樣鼓勵自己。

尚之桃從小養成的鼓掌人心態讓她成為一個不容易把事放在心上的人，她這樣的人不會感到銳痛，但她並不知道鈍痛也傷人。

這個會開得很快，立項通過了就歸檔到市場部，由市場部進行項目入庫，因為是週五，很多同事有事，就把這個工作交給尚之桃。入庫系統很複雜，每個專案要填的資料很多，尚之桃一頭埋進去，連口水都沒喝，生怕自己將關鍵資料填錯，搞了幾個小時終於搞完。關了電腦站起來，看到欒念的辦公室還亮著燈，他還在工作。

他真的很努力。我要向他學習，做一個即使很有天分卻也很努力的人。

她背著雙肩包出了公司。

樹葉落光了，天又冷了一層。街邊仍舊有醉漢，還有幾個跟她一樣攔不到車的人。她不明白為什麼人們總喜歡喝酒喝到深夜，然後在街頭遊蕩，這個城市真的有太多深夜醉酒的人。她想，如果我能在三十歲之前在這座城市有間房子就好了。這樣無論多晚，哪怕像現在這樣站在街邊，我都不會害怕。因為我有自己的住所呀！

戴上耳機，聽著歌，琢磨著該往哪走，一輛車停到她面前。

不是被她撞壞的那輛，那輛大概要修很久。

尚之桃不知道該怎麼面對他，又想起自己的四字箴言：若無其事。於是上了車，對他說：「謝謝 Luke，又要麻煩你。」

欒念看了她一眼，身體探到後座拎過一個包裝袋，放到尚之桃身上：「送妳的。」輕描淡寫。那標誌尚之桃認識，昂貴的禮物。尚之桃好像被燙到了手，再沒了若無其事的淡定，將那包裝盒遞給欒念：「別，我不需要。」

「妳不要這個，是想跟我談感情嗎？」欒念啟動車，開車一點也不影響他講話。

「……」

尚之桃覺得自己好像在賣身。只是她的價格貴一點。價格貴一點並不是因為她表現出色，單純是因為她遇到了一個有錢人。

她緊抿著嘴唇不講話，那包裝盒就在她手中放著。她看著窗外，心想別人會怎麼處理這個禮物？她沒有答案。於是問孫雨：『我老闆送了我一個包，我該怎麼處理？』

『收下。』孫雨只回她這兩個字。

在這座城市裡，幾乎所有的商品都被標好了價格，人也是。孫雨經歷過一次痛徹心扉的分手，突然明白金錢的意義。去他媽的愛情，沒有錢就餓死了，餓死了還追求什麼愛情？就是這樣的孫雨，後來做起了愛情的生意。也是這樣的孫雨，後來為了愛情奮不顧身。每個女人都曾言不由衷，她們都以各自的方式完成自身的成長。再過一些年，當她們再去回首這段時光，會發現很多事當時根本沒有對錯，只是一種選擇而已。

不是所有人，生來就強大。

要知道你看到今時今日強大的人，都曾在某一段時光、被磨皮削骨，進行自我重塑。

孫雨是這樣，尚之桃也是這樣。

欒念也是這樣。

「如果我不收下這個禮物，你是不是會擔心我把我們的事說出去？」尚之桃終於開口。

欒念眉頭皺了皺，把車停在路邊，罕見的點了一根菸，吸了一根，又一根，尚之桃不知道他在想什麼，這沉默很難熬。可她仍舊坐在那不講話，看著窗外，陪欒念抽菸。

欒念其實並沒有菸癮，那天他抽了一根又一根，對眼前虛無縹緲的煙圈著迷。

「妳是不是以為自己在賣身？」過了很久，欒念問她。

尚之桃嗯了一聲。她情緒很低落，說不清為什麼。

「那我應該給妳錢才對。」欒念將菸掐滅：「留著吧。」再不肯多說一句。他將尚之桃送到她社區門口，尚之桃拎著那個昂貴的禮物下了車，甚至都沒有向欒念道謝。頭也不回的走了。

她覺得這個晚上好像有什麼東西在她身體裡崩塌了。

因為她拿了欒念的禮物。

這禮物太燙手了，她不要不對，要也不對。她不是Lumi那種人，遇到她不喜歡的人或事張口就是一句去你媽的；她也不是孫雨那種人，接受就接受，理直氣壯。她就卡在那中間，不上不下。

拎著那個袋子進了家門，孫雨正在洗臉。看到尚之桃神情不對，就擦了臉走到她面前。尚之桃朝孫雨聳聳肩，撇了撇嘴走進臥室，孫雨跟在她身後：「妳怎麼不開心？」

「我說不出來。」

「那他說什麼了？」

「他什麼都沒說。」

「我知道他想說什麼。」孫雨坐在她床邊：「尚之桃，妳知道我做銷售的吧？那時我們每天都要做客情關係。我們送客戶東西，客戶不收，我們就斷定這個客戶我們應該搞不定，以後與他相處就會格外小心；客戶收了，我們就會放心。這個客戶是我們的人了。」

「嗯，我收了，我會替他保守祕密的。」

「那妳難受什麼呢？」

「我不知道。」

「我知道。」孫雨將尚之桃拉到身旁坐下，手搭在她肩膀說：「儘管妳現在不確定，可能也不肯承認，其實，妳喜歡他。」

尚之桃咬著嘴唇，突然掉了一滴淚，沒有徵兆的。

「妳看，妳還哭了。」孫雨幫她擦眼淚：「我認識妳幾個月了，妳不是那種跟別人一夜情的人。儘管妳玩笑著跟我說妳只是喜歡他的身體。但是尚之桃，妳不是那種不喜歡某人就跟人上床的人。」

「我才不喜歡他。我只是覺得尷尬。」尚之桃擦掉眼淚：「我如果很有錢就好了，在我跟他睡完就在他床頭留下一疊錢。而不是讓他先有機會送一個包給我。」這是最令尚之桃生氣的地方。

「好好好！」孫雨鼓掌：「果然有骨氣！那妳就不想拆開看看嗎？」

尚之桃搖搖頭：「不拆了吧，我不喜歡。」

「那就放那！」

「嗯！」

尚之桃有了人生第一件奢侈品，但她並沒有打開來看，她甚至不好奇欒念到底送哪一款給她。總之在她心裡這不重要，重要的是她知道：她以後再也不能做那樣的事了。再也不要跟欒念發生什麼了。

那天晚上她睡不著，在電腦上看電影，順便滑論壇。看到一個組隊文章：去喇叭溝門看楓葉。這也太好了，將網址傳給孫雨：「去看紅葉好不好？秋天馬上結束了！」

「好啊。」

速速在線上報了名。第二天早早起床趕到巴士站，看到一群穿著衝鋒衣登山鞋的男男女女，很多人背著相機，尚之桃沒有相機，她只有一個卡片機，還是辛照洲送給她的。尚之桃突然覺得她的週末不該只有工作和學習，也應該有很多別的好玩的事。

就像孫雨說的：「我們要生活，而不僅僅是活著。」

那時尚之桃年輕，在她心中活著就等於生活。後來她漸漸明白了這之間的不同。活著是糊口，生活是理想。她後來變成一個很懂生活的人，是因為生活令人愉悅，而僅僅活著，會有無盡的痛苦。

在活著的時候，抽出一點時間來生活，是對自己的獎賞。

她一邊走那山路，一邊向下看，楓葉鋪陳林間，是這人間最後的秋色。

趕在秋天的尾巴看了這次楓葉。這楓葉跟南京的不一樣，有大山大河的洋灑的美。心裡的那點沮喪就這樣消失了。

從山上下來，領隊提議去簋街吃飯。

簋街其實離尚之桃的公司不遠，但她從來沒去過，於是跟孫雨一起報名了聚餐。北京是多麼開放的城市呢，大家明明都不認識，在山上也只是有幾次眼神交錯，可坐到一張桌上，就突然熟絡起來。

孫雨愛熱鬧，跟男生一起喝酒。一整桌不熟的人天南海北的聊天，也是一種新奇體驗。

尚之桃只關心眼前的小龍蝦。在南京讀書的時候最喜歡吃小龍蝦，南京的龍蝦便宜一些，從盱眙運過去，時間短，蝦肉鮮嫩。有時她和室友們去市場買，再去旁邊的小餐館加工，一頓花不了多少錢，很解饞。她好久沒吃小龍蝦了，這一吃就覺得這幾個月的生活終於跟學生時代連接上了。

她安靜吃龍蝦，聽他們天南海北的聊天，手機響了幾次都沒聽到。還是去洗手間時才發現，是Alex。Alex通常不會在週末打給她，他經常說工作時努力工作，生活時好好生活。他下班後玩得比誰都凶。如果他找她，那肯定是有事。

尚之桃忙回給他：「抱歉Alex我剛剛沒聽到。」

『沒事，週末方便加個班嗎？』Alex徵求向之桃意見。

「我還在外面，可能要十一點左右到家，來得及嗎？」

『不需要開電腦。是我們公司跟一個大甲方搞籃球賽，雙方各自要組啦啦隊，這個籌組任務落到我們部門頭上了。妳來籌組吧？』Alex覺得尚之桃年輕，又畢業不久，啦啦隊這樣的事離她不遠，安排起來得心應手。

「好的。」尚之桃大學時候參加過啦啦隊，被趕鴨子上架的。倒是沒那麼陌生，於是答應了。

她答應了，Alex很開心：『這也不算KPI，也不是工作，妳能答應我很開心。Flora真是我的大救星。我馬上讓Luke聯絡妳，他是公司籃球隊隊長。』

「誰？」

『Luke啊，他球打得很好，這個大甲方又是他的關係。』

「哦。」

尚之桃想，如果不辭職，大概永遠逃不出「人生何處不相逢」的定理了。她回到飯局上，繼續啃小龍蝦，欒念電話打來時她剛摘掉手套，站起身走到一旁接起。

欒念聽到她周圍的熱鬧，男男女女笑聲迭起，就沒作聲。年輕女生愛熱鬧，週末跟朋友們在一起天經地義。

「我這裡太吵了，您稍等我出去接。」尚之桃跑到外面，問欒念：「現在還吵嗎？」

『不吵了。明天我們下午三點跟三田在球館碰面，妳也來一下，看一下場地。』

「好的。」

『地址我晚點傳給妳。』

「好的。」

『不用太複雜，三分鐘就行。參考ＮＢＡ的啦啦隊。』

要求還挺高，ＮＢＡ。尚之桃在心裡反抗，嘴上卻還是「好的」。

她接連說了幾個好的，絕口不提那個包的事，她睡了一覺想明白了，無所謂。她只要不背，那包就不是收買她身體和精神的東西。用那個包給他們那一晚找個臺階下，他送了，她收了，結束了。至於欒念愛怎麼看她就怎麼看她。

「Luke，您等等傳地址給我就好了，我明天準時到哈，您要是沒別的事的話，我先掛啦？」

『嗯，再見。』

「拜拜。」尚之桃這次沒講職場禮儀，先掛斷電話，跑回去繼續聽他們聊天。席間有個男人一直在看孫雨，孫雨也不害羞，光明正大看回去。等他們聚餐結束後，那個男人走到孫雨面前：「可以交換個電話嗎？以後再一起出來玩。」

「好啊。」

尚之桃站在一旁看他們交換電話，又朝那男人禮貌笑笑，跟孫雨離開了。

「他好像喜歡妳。」兩個人在等車的時候尚之桃說。

「別，充其量是對我感興趣，也或者只是想睡我。」孫雨聳聳肩。她分手後好像突然變了一個人，那天夜裡崩潰成那樣的她，現在看感情彷彿是無關痛癢的小事。

孫雨是受到打擊了。她還沒從打擊裡走出來，她有時晚上會偷偷哭，但第二天就跟沒事人一樣。

「他們說結束失戀最好的辦法就是趕緊再找一個，我試試有沒有用。」孫雨自嘲的說。

「要不然我把我老闆介紹給妳吧？」尚之桃開玩笑，她其實跟好朋友在一起時聊天百無禁忌：「我老闆……還行。」

「還行還是特別行？」孫雨臉湊到尚之桃面前，觀察她的神情。

尚之桃想了想，噗哧笑了：「特別行。睡過以後還會送妳包。我之前沒經驗，妳如果跟他睡，記得提前選好包。」

兩個人大笑出聲，把這一件難堪的事就這樣笑過去了。

尚之桃第二天跟孫雨一起出去吃了烤魚，回家沖了個澡就早早出發去籃球館。她不喜歡遲到，老尚說別學那些亂七八糟的社會經驗，約會就是要早到幾分鐘，學會尊重別人，也是對自己尊重。尚之桃在公車上背電影臺詞，龍震天出去玩前留作業給她了，說是下週見面要考。

背一下臺詞聽一下歌，時間很快就過去了。

她到的時候欒念已經到了，他正在打球。尚之桃挑了一個不明顯的角落位置，繼續背臺詞。

欒念投中一顆球，回身的瞬間看到坐在角落裡的尚之桃。她好像一直是這樣，開會要坐在第二排，敬酒藏在後面，與他發生關係後留張紙條偷偷走掉絕口不提，吃虧了也就吃虧了，不去追溯。

更不用指望她會在中場休息時遞一瓶水給他，她不是沒有這樣的眼色，只是覺得別人一定會遞，她單純不想爭強而已。

只顧低頭努力。

尚之桃裝出的那點若無其事欒念心知肚明。他從一開始就看透了她。

這世界上大概就是有這一種人，永遠不會羨慕別人擁有什麼，對自己擁有的那點破東西和破遭遇全然接受。尚之桃就是這種人。欒念覺得自己對尚之桃下手太黑了，有的是玩得開不當回事的女生，他對她下什麼手？他缺女人嗎？他難得覺得自己做得不對，在香港時飯店旁邊就是商場，他出差時從不逛街，卻破天荒去逛了一次。他買的那個包不算便宜，折完匯率還要三萬多。

欒念收回眼神繼續打球，等凌美的人陸陸續續來了，才下了場。他身上滿是汗水，頭髮濕透，拿毛巾擦了擦招呼大家：「集合吧。」

尚之桃拿掉耳塞，將資料塞進書包。作為今天到場的唯一一個女同事，被公司的男同事們完全擋住了。她只能安靜聽著他們講場地的事，還有戰術的事。辛照洲也打籃球，他那時會拉著尚之桃跟她講籃球規則，還要求尚之桃必須看他打球。

她聽了一下覺得跟自己關係不大，有些走神了，卻聽到欒念叫她：「Flora。」

「嗯？」

男同事們這才想起尚之桃在他們身後，笑出了聲，向一旁閃身讓她現身。

「我跟Alex打過招呼了，他已經在各部門招募啦啦隊員了。」欒念對她說。

「好的好的。」籌組排練其實挺困難，凌美那些有個性的女同事們一個比一個難搞。尚之桃甚至覺得大家會打起來。

「但Alex說人不夠，所以妳也頂上吧。」欒念又說。

「哈？」尚之桃像一隻呆頭鵝，眼睛裡寫著我嗎？你說的是我嗎？

銷售部Apollo笑了：「Flora辛苦了。」

「可我不會跳舞啊。」

「妳應該行。」欒念莫名講了這一句，她身體柔韌度很好，跳個健美操綽綽有餘了。

「……」只有尚之桃聽出他這句話背後的深意，騰地紅了臉，欒念在調戲她？可他一臉正經，什麼都看不出來，好像他講的是一句普通的話。

「那就散了吧，大家辛苦了。Flora留下吧，對方啦啦隊提出要互動，等等我跟她們通電話，妳也聽一下。」

「好的。」

大家就這樣散了，尚之桃站在那有點拘謹，欒念看了她一眼說：「稍等我一下，我進去換衣服。」

「哦。」尚之桃瞄到欒念的肱二頭肌還有被衣服透出輪廓的胸肌，忙將目光移到一旁，非禮勿視。

欒念這衣服換得著實有點久，久到尚之桃以為他在裡面像女人一樣化了個全妝，她等到四點半，才看到他穿著一身休閒服出來。搞創意的人審美真的好，那身衣服搭出來很高級，就連場內打球的男人們都會看他一眼。

「走吧，去車上打電話，這裡吵。」

「哦。」

又是一個哦。

欒念也不多講話，帶著尚之桃去了停車場，兩個人上了車，欒念打電話被對方掛掉了：「稍等一下。」

他們就這樣坐在車裡等，欒念也不講話，尚之桃也不講話。期間欒念接了三通電話，其中兩通是女生打給他，他簡單講了幾句掛斷了。還有一通是他媽媽。

尚之桃屏住呼吸不敢講話，坐在那聽欒念跟他媽媽講話，心裡有說不出的緊張。欒念媽媽應該是一個很好的人，好像是醫生，她跟欒念講她治療一兩個病人的事，期間他媽媽有點難過，欒念安慰她：「妳盡力了。」是很溫暖的母子關係。

電話最後，欒念媽媽說：『劉阿姨介紹給你的女生，你去看一看。談不談戀愛無所謂，得有禮貌。』

「好。」

原來Luke也需要相親，哦對，他二十八歲了，該相親了。這個電話聽到後來，尚之桃已經很自如了，她甚至支起了耳朵，表現出了濃厚的興趣。欒念無意瞥見她耳朵動了動，索性伸出手去捏她耳朵。指尖的溫熱觸到尚之桃發燙的耳垂，她向外偏頭想逃出這奇怪的旖旎感，卻聽到欒念問她：「跟我回家嗎？」

第九章　她的喜歡

這不在欒念意料之中。

他拒絕了尚之桃，是打算不再跟她有什麼的。可當他的指尖觸到她發燙的柔軟的耳垂，突然就想跟她做點什麼。迫切的，帶有摧毀力量的，想碾過她。

尚之桃昨天還在想我再也不會跟欒念發生關係了，今天聽到他邀請她回家，愣在那，看著他，一言不發。

欒念的手指在她耳垂上摩挲：「突然覺得妳的提議不錯。」他這樣說。

「什麼？」

「做固定性伴侶的提議。」欒念提醒她。他發動引擎，不再講話。車開得有點快，快到尚之桃覺得他們不需要前戲，只是在車上這段詭異的沉默都令她動情。

她說不清自己怎麼了，欲念湧動到嚇到了她自己。她緊抿嘴唇，那句停車就在她口中，可無論如何都說不出來。比起下車，她更想留在欒念身邊。先愛上的那個人會丟盔棄甲，一敗塗地，這個道理她懂了。

後來她不知道是怎麼發生的，欒念又席捲了她，在他的車庫裡，在他的車上。尚之桃後來想，怎麼就急到車都不能下了？

欒念的舌尖包裹她的耳垂，又深深探入，尚之桃的髮間有幽幽的香氣，小而急的呼吸聲像極了平常謙卑的她，欒念故意用力，讓她那一聲輕啼衝破喉嚨，他在她耳邊低低說了句：好聽。聲音再也收不住，輕輕淺淺，偶爾有一聲，聽得人骨頭酥軟。

尚之桃甚至沒有時間去思考這對不對，只知道這一週她閉上眼睛就是欒念。年輕的女生欲望一旦開了閘，就闔不上。別人暫且不行。

水淋在她肩頭，洗去她一身汗膩，也洗去他的味道，尚之桃以為到頭了，卻遠不是。淋浴間溫度很高，她快要窒息了。他的味道洗去了，又有了，就是不放過她。

最脆弱的時候，她渴望他的吻。雙手捧著他的臉，綿密的吻他。

這一次真的徹底，每一個毛孔都充滿快樂。不知道過了多久才將氣喘勻，下意識去尋找被子，卻不小心觸到欒念的手。連愛都做了，觸到他的手卻快速縮回，好像牽手比做愛更十惡不赦。

欒念將被子遞給她，兩個人一人守著床的一頭，像上一次一樣。

我真的瘋了。尚之桃想。

欒念你他媽是不是瘋了？欒念想。

他們都不講話，都不知道該說什麼。一個昨天剛決定不再做這種事了，一個前幾天剛剛拒絕了她說做固定性伴侶的提議。都背離了初衷。

「我覺得週日的時機不是很好。」過了很久，尚之桃開口說道。

「嗯？」

「週一要上班，身上痕跡還很重。」親熱的時候管不了那麼多，結束了才發覺欒念喜歡在她身上留印記：「第二天痕跡還沒消，如果是週五晚上，還有時間吸收……又或者下次您……別留草莓？」她其實還在想的是週日太耽誤事了，她週日還要學英語呢！週五晚上從公司出來來他這裡，第二天離開他，週末什麼事都不耽誤。

欒念聽到尚之桃認真跟他討論以後什麼時候方便，覺得這個場景有點滑稽。他談過兩三次戀愛，沒有固定性伴侶過。他萬萬想不到在這件事上，竟是尚之桃在主導他。現在的女孩這麼開放了嗎？

他沒有講話，穿上衣服走出臥室，下樓幫自己倒了一杯冰蘇打水，一口喝進去，瞬間清醒。他非常不喜歡被人主導的感覺，哪怕這件事無足輕重。也倒了一杯給尚之桃，尚之桃灌了一口，沁人心脾。

「清醒了嗎？」

「清醒了。」

「那妳回去吧，明天不是還要上班？」他下了逐客令。這就難堪了。尚之桃並不知道她的話令欒念不適，他著急跟她鬥一鬥，至於鬥什麼，大概就是看誰在這件事上更放得開了。

「哦，好。」尚之桃起身穿衣服，聽到欒念打電話：「劉司機，幫我送個人吧……」

尚之桃跳過去搶他電話，欒念把尚之桃鎖在胸前，而後把電話舉高，仰起頭對著電話說：「對，在我家。」

「……」掛斷電話放開尚之桃：「怎麼了？」

「公司不允許內部員工談戀愛。」尚之桃有點著急，主要是因為她沒辦法面對劉武。

「我們是炮友，不是戀愛。」欒念丟了一句給她。

「……」

「那也不行啊……讓劉司機別來。」她慌忙去找手機準備溜之大吉，欒念眼疾手快搶走她手機：「求我。」

靠。

「求你。」尚之桃對他拜拜，請他放她一馬，留幾分顏面給她。

欒念達到目的了，打電話給劉武：「劉司機，不用來了，人自己走了。你休息吧。」手裡還握著尚之桃的電話不給她。

尚之桃朝他伸手：「我得走了啊。」欒念跟耳聾患者一樣將她手機塞進枕下，閉上眼睛睡覺。

「那我走不走呢？」

「睡客房。」

「哦。」

尚之桃爬到床上，手探到欒念枕下摸出手機，轉身向門口走，走了兩步又停下：「那我明天怎麼上班呢……？」是真的在思考這個問題。

欒念不理她，緊閉著眼睛不講話，肚子卻出賣他，他餓了。打了一下午球，又跟尚之桃做了這麼久運動，他還沒吃東西呢！於是睜開眼，套上T恤，看到尚之桃還站在那，跟個大傻子似的。

「餓嗎？」

「……」尚之桃想說不餓，可是她餓到沒有骨氣，於是點點頭。

「那妳去做飯。」

「我只會煮麵。」尚之桃那點煮麵的功夫還是在學校宿舍裡練出來的。

「嗯，湊合吃。」

兩個人上了電梯，尚之桃突然問欒念：「您家裡為什麼沒有阿姨？」

「不習慣。」

「什麼？」

「不習慣跟陌生人在一起。」

那您跟陌生人做愛的時候可看不出不習慣，尚之桃腹誹。到了一樓，欒念果然做甩手掌櫃，幫自己倒了一小杯紅酒，坐在高腳凳上，朝尚之桃抬下巴：「去吧。」

去就去。

尚之桃從冰箱裡翻出番茄、雞蛋和幾樣青菜，又找出麵條。像模像樣的洗菜點火。往鍋裡倒了一點油，然後就開始變成了一個門外漢。她在學校煮麵用的是小電鍋，哪裡用過明火，蔥花撒下去油濺了出來，鍋裡還著了火，她嚇得跳了半步。

欒念一口酒差點沒噴出來，忙繞過去關了火。皺眉看著尚之桃：「會煮麵？」

「啊……」

「妳還會什麼？」欒念再也不會相信尚之桃說她會什麼了，她說她會開車，撞了他的車；她說她會煮麵，差點燒了他家。將尚之桃推到一邊，動作俐落煮了青菜麵。

上次是牛排義大利麵，這次是青菜麵，欒念竟然會做飯。尚之桃有點意外，站在旁邊看著他忙碌，有點手足無措。

「您居然會做飯。」

「我嘴刁。」

欒念從小嘴刁，小時候上幼稚園，他不喜歡吃幼稚園的飯菜，寧願餓著。後來跟隨父母去了美國，讀書時候他不愛吃西餐，外送也不好吃，於是自己偶爾做點。自己做得太難吃，也終歸是自己做的，能吃得下去。慢慢的就會做一點。

尚之桃嘴可不刁，她什麼都愛吃，包括欒念施捨她的這碗麵。尚之桃塞了一口麵進嘴裡，突然想到：如果 Kitty 知道她親愛的老闆跟我一起睡覺，還煮麵給我吃，會不會扒我的皮？抽我的筋？削我的骨？她本來就不喜歡我。

她一邊吃麵一邊胡思亂想，腦子裡甚至演了一部電視劇。兩個人安靜地吃完麵，尚之桃有點為難的問他：「您這有多餘的牙刷嗎？」

「嗯。」欒念帶她上樓，在洗手間的抽屜裡拿出備用牙刷和牙膏給她。

「那毛巾呢？浴巾呢？睡衣呢？隱形眼鏡盒呢……？」尚之桃突然想起很多事：「如果我以後每週五晚上過來睡在這裡，這些我都需要。」

「我們確定每週五晚上見面了？」欒念問她。

「……」尚之桃被他嗆了一句，還沒想好怎麼反擊，又聽他說：「妳自己不會帶？」

「要我每次都背著嗎？還是說您這裡有什麼地方可以借我放。」

欒念聽出來了，尚之桃在問的其實是：我放在這裡合適嗎？您其他女朋友看到會不會介意？他沒有回答她，懶得跟她廢話，拿起牙刷刷牙。

尚之桃站在那裡想了想，又問：「公司裡其他女同事會來這裡嗎？」

欒念吐了一口牙膏泡沫，冷冷問她：「怎麼？要去認姐妹？」不說有，也不說沒有。

「不至於，不至於。」

尚之桃這點上是個明白人，不想做第三者而已。於是乾脆直接問：「您現在沒談戀愛吧？如果有女朋友，我們這樣就不大好哦！」

欒念真的有點生氣了。尚之桃腦子有包吧？他有女朋友會他媽帶她回家裡？將牙刷丟進漱口杯，轉身進了主臥，關上門，將她那些爛問題關在門外。

尚之桃撇撇嘴，去刷牙洗臉，然後去了客房。欒念真的有品味，他選的床品極其舒服。上一次她沒仔細看，今天躺在上面認真感受了一下，覺出了欒念的床與她的床的不同。她有點累了，關了燈在欒念的客房沉沉睡去。

第二天早早睜眼，發現欒念臥室的門已經開了，可他人卻不在。尚之桃刷完牙才看到他滿身大汗上了樓，他每天早上都要健身。

尚之桃看了時間一眼，所以這大哥六點就起床了？我的天。欒念脫了運動衫，光著精壯的上身進了洗手間，看到尚之桃停留在他腹肌上的目光，捏著她衣領把她拎了出去，關上門去沖澡。

尚之桃站在門口等了一下，欒念繫著浴巾走出來，髮上滴答落下水珠，色相滿分。可她沒時間欣賞，手指了指欒念臥室的方向：「Luke……您臥室也有一間洗手間，也能洗澡。」跟我搶什麼呢？我上班要遲到了。尚之桃從來不遲到，她真的擔心會遲到。她還在發愁等等要怎麼走。

欒念不理她，走進衣帽間去換衣服。搞創意的人，對穿戴要求極高。欒念的衣服都剪裁得體，簡約高級。他並不像其他創意人那樣穿得花哨獨特，他的衣服看起來更低調。可是低調的衣服到了他身上，就顯出了不同。

換好衣服見尚之桃梳洗完了，神清氣爽。她不化妝，今天連乳液都沒用，她自己沒帶，欒念家裡也沒有女士保養品，就素淨著一張臉。好在她皮膚好，白皙粉嫩，什麼都不用，就很好看。唯一讓她為難的就是她鎖骨上那個吻痕。

尚之桃對著鏡子看，想起欒念的牙齒貼在那，舌尖微微掃過。從前覺得欒念這個人冰冷死板，親密時不會有什麼溫柔和耐心，甚至覺得說不定他就是一個機器，毫無技巧可言。大錯特錯，他的技巧就像他的創意，都是頂級的。

尚之桃有些苦惱的將毛衫上的帶子抽緊，遮住她的脖頸，看起來卻有一些怪異。

「您家裡有OK繃嗎？」她跟在欒念身後下樓，順便問他。要是能有個OK繃貼在印記上就好了。

「欲蓋彌彰？」

「……」

「那麼怕被別人知道妳有性生活？」

「不是……別人問起來不好說。」尚之桃胡亂找藉口。

欒念停下來看她一眼：「有什麼不好說？妳就說妳的性伴侶是我。」真假難辨。

尚之桃一時之間語塞，乾脆閉了嘴。到了一樓欒念卻轉進廚房，拿出兩個餐盤，遞給尚之桃一個：「吃了再走。」

欒念竟然還會做早餐。尚之桃有些自慚形穢，她一直覺得自己從工作以來就忙亂慌張，從前早上在公司偶遇欒念的時候還曾想過：這位大兄弟真讓人羨慕，每天那麼悠哉，一定有人把一切打理好了吧？

可今天才知道哪有人打理。他早起健身，沖澡，準備早餐，哪一樣不是自己做的？連阿姨都不肯請，省錢買包給女人嗎？

她咬了一口三明治，美味。跟她的麵包片和牛奶一樣好吃。不，牛奶比欒念的差一些，欒念的熱牛奶裡撒了桂花，真好喝。

「Luke 做的早餐真好吃。」尚之桃朝他豎拇指：「這個牛奶太好喝了，如果我還能再喝一杯就更好了。」

欒念沒有回應她的奉承，拿過她的杯子又為她倒了一杯牛奶，然後拿出乾桂花灑在上面。尚之桃終於知道那個女孩為什麼要在電話裡哭鬧著不分手，還要在他們公司裡鬧成這樣了：一個這麼會照顧人、技巧好、愛送包的男朋友，誰能乾脆俐落地離開呢？那怕是要丟了半條命才行。

好在他們只是床伴，她沒有那麼多期待，不用丟那半條命。

搭欒念的車去公司，尚之桃猜測欒念會讓她在哪裡下車。可欒念始終沒有停車，一路將車開進了地下車庫。是他每天上班的時間，地下車庫還沒有什麼人，欒念倒車入庫的時候尚之桃四下看個仔細，確定沒有人。等他停好車，她打開車門，撒腿跑了。車門都沒關嚴，怕被人看到。

欒念看她竄逃的背影，覺得她是一個十足的蠢人。換作別人，恨不能全世界都知道，以換來特別的優待。

依舊是去買咖啡然後上樓，走到辦公區看到尚之桃已經坐在電腦前開始工作了。欒念走進辦公室，也開始自己的工作。白天有一次在辦公區偶遇，尚之桃像從前一樣跟在同事身後，像什麼都沒發生。

公司在這一天發布了郵件事件的調查結果，是Tracy親自寄的郵件，她在郵件中寫道：『據詳查，欒念並未在公司內外部同時發生多段感情，郵件之中出示的照片經技術部比對為合成照片，照片中的男性不是欒念。欒念的確與該女子有過一段時長為半年的戀愛，但二人是和平分手；其中細節涉及隱私不在公示郵件中闡明。同時也一併調查了公司員工資料洩漏的事，經技術部門調取資料和分析結果，在公司內網內無人進行違規操作。以上調查結果將進行七天公示，如有其他線索，請主動聯絡我們。』

除了證明欒念的清白，其他的幾乎什麼都沒說。公司文化就是這樣，盡量不把事情鬧大，除非一方真的要把另一方弄死。Tracy徵求過欒念的意見，要不要對洩密結果進行公示，欒念只說：「念在初犯，可繼續觀察。但還是要進行談話，就我們三人吧。」至於這個洩漏員工資料的人到底是誰，從頭到尾都沒提。

尚之桃看著郵件，想起昨晚問他：「公司裡會有女同事來你家嗎？」

欒念說：「怎麼？妳要去認姐妹嗎？」

她自認對欒念了解不多，今天卻在這件事上有一點相信他。欒念或許是一個嘴很壞的人，但他本人並不像他的嘴那樣冷血。尚之桃想到這裡突然有點害怕，難道我的大腦被我的下半身支配了嗎？我看到、聽到的那些都是假的嗎？

她思考深入，Lumi 喊了她幾聲她都沒有聽到。

Lumi 坐在椅子上長腿一蹬滑到她面前，手在她眼前一晃：「幹嘛呢？魂丟了？」

尚之桃回過神，忙問她：「怎麼啦？」

「看公告了嗎？」

「看了啊……」

「我就說這爺們是被冤枉的，果然。」Lumi 笑了笑，看到尚之桃怪異衣領下的痕跡，嘖嘖兩聲：「姐妹，妳知道妳是在此地無銀三百兩吧？大方亮出來，老娘昨天晚上有性生活了！這有什麼丟人呢？妳看看銷售部的 Linda，每天都在炫耀自己的豔遇。」

尚之桃紅了臉：「別鬧。」

她又將衣領拉高了點，然後對 Lumi 說：「今天早會上說的那個調研專案，我想申請做專案經理可以嗎？這個專案小，我看大家都不想接，我又沒做過，剛好趁機學習。」

「當然好了！想接就去找 Alex，有問題一起解決。」Lumi 拍拍她：「衝！」

尚之桃不好意思地笑了笑：「Lumi，妳為什麼從來不主動接項目，妳能力那麼強，什麼事情都能做好。」

「還不夠我挨累的呢！」Lumi 聳聳肩：「我又不缺錢，當個普通員工不是挺好嘛！」

「好好好。」尚之桃對 Lumi 豎拇指：「真硬氣。」

Lumi 拍她頭而後笑出聲：「感謝國家，感謝我太爺爺太奶奶，感謝我爸媽。」

Lumi 非常坦蕩，她對工作沒欲望，有事幹就挺好。她就是一個無所謂的人，但交到她手裡的活她又幹得讓你挑不出什麼錯處。Lumi 的存在讓尚之桃知道，同事可以分很多很多種，並不是每一個人都想向上爬。

「那我要是接了那個專案，如果有地方不懂，妳還會教我嗎？」尚之桃覺得自己離不開 Lumi，如果沒有 Lumi，她在凌美可能待不到今天。

「說這什麼話！不幫妳幫誰？幫 Kitty 那個煩人精嗎？」Lumi 最討厭 Kitty，Kitty 每天擺架子，長著三副面孔，對著老闆是一副，同級是一副，對外包又是一副。職場變色龍混得風生水起，Luke 甚至讓她獨立接一個專案的創意工作，這他媽不是瞎了嗎？

「妳沒事也跟 Kitty 學學，看看人家對主管的態度，拿到的都是好專案。那都是真金白銀。」Lumi 語重心長：「就是有人吃她那套。」

兩個人說著話，看到 Kitty 去了欒念辦公室。Kitty 穿衣服十分開放，這都深秋了，她穿了一件緊身連衣包臀短裙，一雙黑色過膝長靴，露出白嫩嫩的腿，從你身旁走過去，會飄過一陣香氣。

她拿著一本列印素材，放到欒念辦公桌上，並沒有坐到他對面，而是站在他身旁，手支在桌子上，好身材一覽無餘。

「嘖嘖。」Lumi 嘖嘖一聲：「瞧見沒，學著點，妳身材可比她好。」

尚之桃又想起在欒念車上，他的手覆上來時那晦澀的目光。微微紅了臉：「別。我不自在。」

「自信點，小桃桃。妳要自信一點。」Lumi 回到自己的位子，開始工作。

尚之桃又看了欒念辦公室一眼，他皺著眉，好像在思考。

欒念皺眉是因為他不喜歡 Kitty 的香水味。他認同女人應該噴香水，但香水也要分場合，她今天的香水太濃了。欒念指了指對面的位子：「Kitty 妳坐在那等我一下。」

「好。」Kitty 端坐在欒念對面，一條腿疊在另一條腿上，定定看著欒念。

欒念完全沒注意她的目光。

他在看 Kitty 交的這版創意稿，Kitty 是一個十分有才華的人，她交的這版平面創意，用色大膽，視覺衝擊力極強。但與品牌契合度不高。

「與甲方溝通一下吧。」欒念沒有直接指出她的問題，讓她自己去接觸甲方，那樣能讓她成長更快。

「好啊。當面溝通嗎？甲方在上海。」

「當面溝通吧。」

「您跟我一起去吧？我覺得沒有您我心裡沒有底氣。」Kitty 在示弱，也在表忠心。

欒念朝她笑笑：「讓 Grace 陪妳去。」

「好啊。」

Kitty 走了，她的香水味還留在欒念辦公室，欒念起身推開窗，坐下的時候看到市場部的幾個人站在走道講話。尚之桃束著馬尾，乾乾淨淨、簡簡單單，站姿又筆直，與周圍的氣氛格格不入。

怪好看的。

Alex 把那個小專案分給了尚之桃。部門同事沒人願意接這麼小的調研專案，因為很難出成績。但尚之桃願意，不管怎麼樣，都是她第一次做專案經理。

她有一點開心，又有一點緊張，拿到初始專案資料後就坐在工位前沒動過。每一年的行業調研都是公司的必做專案，用以支撐不同部門為不同行業客戶制定廣告決策。

雖然是小專案，卻非常複雜。相關部門需求調研、往年投入產出分析、調研公司選擇、項目里程碑，每一項都要有。她跟在 Lumi 身後做過幾個項目，自己也看過相關書籍，現在的感覺就像是平常功課做足了，此刻終於要上考場了的感覺。

尚之桃看完全部資料已經很晚了，等她抬起頭，周圍已經空無一人了，只有欒念的辦公室還亮著燈。她想了想，拿出手機來打字：『我今天獨立接了一個專案。』手指放在傳送鍵上半天，還是刪除了。她不知道他們有沒有熟到分享日常的地步，欒念這個人對別人的生活不感興趣。於是刪除了，可又想跟他講一下這件事，雖然是一件小事，但是代表她有進步了。

『我今天獨立接了一個專案。』她傳給他。

欒念看了手機一眼，然後放下，並沒有回她。尚之桃一邊收拾書包一邊看手機，欒念始終沒有回她。嘆了口氣背著包出了公司。

她今天運氣很好，出了門就攔到一輛車，插上耳機聽歌，眼睛卻一直盯著手機。她快進家門時才看到欒念回她：『好好做，加油。』再也沒有比這更正式的口氣了。

『謝謝。』

尚之桃的專案令她焦頭爛額。需求調研的第一步就卡住了。卡在創意中心。

Kitty始終不給出創意中心的需求範圍，尚之桃催了她兩次，她都說太忙了，還沒有做。尚之桃有一點困惑，明明是一個服務類專案，為了助力業務，為什麼Kitty會這麼不配合。

Lumi建議尚之桃上升處理，讓老闆把任務壓下來，可尚之桃覺得這樣不好，還不到上升處理的程度。Kitty本來就很討厭她，如果上升了，後面就沒辦法錯了。

說到底，尚之桃還是害怕衝突。她想了很久不知道該怎麼處理，於是在週三的傍晚終於忍不住傳了訊息給欒念：『Luke，抱歉打擾您了。我獨立做了一個專案，但卡在需求調研這一步了，我想請教您怎麼能讓大家配合專案進度呢？』她不想告任何人的狀，只想好好解決問題。

欒念這次回得很快，他說：『開不針對任何人的專案溝通會，讓各方彙報進度。然後通寄郵件，標準專案各方執行人。』

過了一下，又傳來一則：『別害怕衝突。』

尚之桃看到他對她說別害怕衝突，覺得欒念真的是把她看透了。他明明沒有關注過她，卻知道她是什麼樣的人，會因為什麼樣的事躑躅不前。

『好的，謝謝。』

『不客氣。籃球友誼賽的啦啦隊準備的怎麼樣了？』

『週四週五兩天會排練。』

『好。辛苦了。』欒念想了想又對尚之桃說：『獨立做專案經理是好事，但在項目中重要的是搞定人，人搞定了，進度就能跟上。』

留時間給尚之桃獨立思考。

欒念回完訊息收拾東西出了公司，他約了姜瀾吃晚餐。姜瀾是行業協會副主席，董事會讓他再努努力，做國內行業協會顧問。欒念建議董事會再選個人，董事會說不行，姜瀾就喜歡你。

欒念開車到了吃飯的地方，一家日料店。姜瀾還沒到，他坐在那裡等，也不催她。等了大概四十分鐘，打電話給姜瀾，姜瀾接通了一個勁道歉：『對不起對不起，我塞車了。』

「沒事，那就改天？」

『別，就今天。我遲到了今天我做東，麻煩你等我一下。』

「好。」

欒念掛了電話，知道姜瀾是在拿捏。她做甲方做慣了，做出了一身傲氣。欒念懂。索性拿出電腦處理工作，姜瀾到的時候他起身迎接：「辛苦了。」

「抱歉讓你久等了。」

「沒事，稍等我十分鐘，我剛剛收到一封郵件，需要緊急處理。」哪裡有什麼郵件，睚眥必報而已。打開一封郵件，隨便敲點什麼，還皺著眉，像模像樣。姜瀾坐在一旁等他，過了二十分鐘，她終於笑了：「你小氣。」

欒念假裝不懂收起電腦：「吃飯？」

「我鄭重跟你道歉，等人的滋味真不好。」

「餓壞了吧？」欒念不接她話，對一旁的服務生說：「麻煩上菜吧。」

「喝點酒嗎？」姜瀾問他。

「我開車了。」

「司機呢？」

欒念笑了：「也可喝點小酒。」

欒念跟姜瀾一起喝了點小酒，兩個人還是像上次一樣，並沒有聊工作。姜瀾講起她上一次分手後獨自去北海道住了幾天的事：「那時覺得戀愛真的很傷神，我以後寧願不戀愛了。」

「吃一塹長一智嗎？」

「你沒有同感嗎？」

「沒有。」

姜瀾笑了。她笑的時候眼睛瞇成一條縫，有一點嫵媚。她是那種知道自己究竟哪裡有魅力的女人，並且很懂得展示魅力：「可我聽說你上一段戀愛讓你非常頭疼。」

「說實話，並沒有。何必庸人自擾？」

欒念就是這樣的人，他現在熱愛自由。姜瀾托腮看他，覺得這個男人看起來可真順眼。她這頓飯只喝了一點酒，東西只吃了幾口，對欒念說：「我要自律一點，保持身材真的太難了。」

「理解。」欒念點頭。

這一頓飯，姜瀾講了很多自己的過去。她好像很久沒有跟人這樣袒露心扉，話匣子一開就再也闔不上。她甚至講起她的初夜，在一個細雨綿綿的夜晚，拉斯維加斯城外的一個汽車旅館。

欒念靜靜聽她述說，插嘴的時候不多。

他的耐心傾聽令姜瀾覺得愉悅。說到底她混到今天，身邊看似熱鬧，但她非常討厭下流的男人。她喜歡男人有一點風骨，而她呢，一點一點拆掉這男人的骨頭，最終與他合二為一。她喜歡這種狩獵的遊戲。而欒念是最優質的獵物。

兩個人喝了小酒出來，晚風沉醉，姜瀾有些微醺，腳步亂了一下。欒念伸手扶住她的手臂，將她帶上了車。問她：「送妳到哪？」

「我家裡吧。」她說了一個地址，劉武點頭：「好的。」

姜瀾看著欒念忽明忽暗的臉，多好看的一張臉。掌心貼在他膝蓋，頭靠近他，與他耳語：「去我家裡坐坐嗎？」

「我不一夜情。」

「長期的……祕密的……不談感情的……」

「我沒這習慣。」欒念講完這句突然想起尚之桃，問他她隱形眼鏡盒、浴巾、睡衣應該放在哪的尚之桃。男人說謊果然都不眨眼睛。他怎麼沒這習慣？他現在正在培養這習慣呢！

「比如呢？」姜瀾坐回去，頭靠在椅背上，側過臉看他，衣領微微敞著，春光無限。大概是個男人都會繳械的那種春光。卻沒觸動欒念。

欒念收了神嘆了口氣：「我以為我們之間的關係會更優質。」

欒念朝她笑笑，並不給她這個答案。

轉頭看向窗外，心想下一次還是換人應付姜瀾吧，特別累。送走姜瀾，終於到了家，沖了澡躺在床上。想起尚之桃的困擾，打電話給她：「問題解決了嗎？」

尚之桃正在爬樓梯，聽起來有點氣喘吁吁：『還不算解決，我寄了郵件，明天邀請各方參與專案進度溝通會。』

「我沒收到妳的郵件。」

『……我沒寄給您。』

「為什麼？妳開專案進度溝通會不邀請各方老闆？妳拿什麼震懾別人？靠妳自己張牙舞爪嗎？公司樓下的野貓都比妳凶。」

『我……』

「明天幾點？」

『下午三點。』

「我知道了。」欒念講了一句，聽到尚之桃那邊開鎖的聲音，問她：「到家了？」

尚之桃壓低了聲音，對著電話輕聲說：『是的。』怕吵到室友。張雷最近接連加班和出差，孫遠翥進到那個無人駕駛專案日夜顛倒，孫雨被人拉去研究做相親網站，總之大家都很忙，都需要很好的睡眠。

她輕輕關上門，躡手躡腳走向自己的臥室，關上門，然後說：『Luke 我到家了，您這麼晚還不睡嗎？』

「我剛到家。」

『哦。』

「睡吧。」

『晚安。』

欒念掛斷電話，心想自己現在真的是閒出屁了，一個普通員工的專案進度也要在深夜關心。尚之桃卻是一個知恩圖報的人，掛了電話還要傳訊息感謝他：『Luke，真的謝謝您指導我的專案。』

欒念不知道該怎麼回，就像她那天突然對他說她獨立接了一個專案一樣。於是把手機丟到一旁閉上眼睛準備睡覺，過了一下又拿起手機：『沒事，不用客氣，好好做。』

『我會努力的。』

我知道。

欒念從來沒見過誰像尚之桃這麼努力，不過是一份工作而已，她努力得像是沒有退路和底氣。那天 Tracy 與他溝通公司下一年的用人戰略，提到想再招一到兩個尚之桃這樣的人，她原話是這樣講：「你看到了嗎？尚之桃是一個用人實驗，這個實驗結果告訴我們，只要有一點天分，加上足夠的努力，就可以彌補求學分層帶來的差異。」

Tracy 有一點得意，尚之桃是她非常成功的試驗品。那天欒念並沒有反駁她。

尚之桃上一次跳舞還是大一時候，學校社團籌組活動，她被趕鴨子上架。踩了幾次同學的腳以後大家就不再讓她跳了。不跳舞可以，總得偶爾亮個相吧？後來尚之桃在洗衣房洗衣服，社團的同學從旁邊經過，聽到她在哼歌。原來尚之桃唱歌好聽這件事她自己都不知道。於是就被迫上臺唱了一兩次。

尚之桃不喜歡當眾表演。尤記得兒時逢年過節，親朋好友歡聚一堂，總要讓孩子表演節目。尚之桃一無所長，所以每次都帶著筆墨紙硯，輪到她的時候她就站在那說：「我表演寫字給爺爺奶奶叔叔阿姨大爺大媽們看吧！」寫字費功夫，她一副字寫完，飯都吃完了一半。

到了現在，她沒有跳舞的天賦，跟在那些從小學跳舞的女同事後面總是跟不上動作。Kitty 作為編舞對尚之桃有點不滿，對著鏡子說：「Flora，妳是不是跟不上？」她心裡還在生氣。尚之桃下午拉著各部門一起開專案溝通會，她自己的進度有點慢，欒念在會上批評了她。

「抱歉抱歉。」尚之桃擦了把汗跟大家道歉。

「再來一次。」

大家在前面跳，尚之桃在後面比劃，她跳舞那根筋大概是真的折了，一場舞跳下來真的要了命。其他女同事都笑出來，有善解人意的說：「別為難 Flora 了。Flora 妳舉牌好不好？」

「好好好。」

尚之桃終於從跳舞的苦海中被解救出來了，舉牌子容易，她不用排練了。於是出門幫大家張羅訂餐。等她訂餐回來，發現大家已經商量好了髮型和服裝，雙馬尾、運動短裙。運動短裙是尚之桃之前採購的。頭髮怎麼梳都行，反正她不跳就行。排練到晚上十點，尚之桃又跟大家同步了第二天的場地和時間，以及注意事項，然後就散了。

週五晚上，夜生活開始。尚之桃有點想去欒念那，可他沒有開口，她又不好問，顯得她有多猴急，雖然她真的猴急。她跟孫雨討論過這種狀態，她覺得自己好像有了性癮，這算不算一種病？

孫雨笑她胡思亂想，她說：「我跟前男友剛戀愛的時候，恨不得一天二十四小時待在一起，妳能說我有病了嗎？」

「不能。」

「那不就對了？」

到了家看到只有孫雨在，就換了啦啦隊的衣服給她看。尚之桃平常穿衣打扮很低調，可啦啦隊這條短褲裙將她的長腿暴露無遺。兩條腿在燈下白得發光。頭髮再梳起雙馬尾，一雙眼水波橫生，往那一站就有一點出挑的味道。

孫雨前前後後仔細看了，莫名說道：「我猜妳明晚不會回來了。」

「嗯？不回來我去哪？」

孫雨不懷好意笑出聲：「妳那位冷酷老闆可能會把持不住。」

尚之桃終於明白孫雨在說什麼，臉微微紅了：「他不會的。他在廣州的夥伴特別特別好看；他前女友也特別特別好看……他見過的好看女人太多了。」夥伴這個詞用得妙。她並不知道欒念跟臧瑤什麼關係，可半夜進他房間的人，關係應該不會簡單吧？

「管他呢！盡情享受青春吧！」孫雨拍拍她肩膀。

尚之桃又對著鏡子練了一下舉牌，然後才睡去。

第二天早早到了球場，處理好後勤工作後雙方的人就陸續到了。兩個公司都是業內翹楚，打籃球的人身材又都不會太差，啦啦隊的女生青春靚麗，一群男女在一起真是賞心悅目。

等啦啦隊從更衣室出來，球場上有人吹了一聲哨子。

員工清了場，三田的啦啦隊就上場了。三田啦啦隊的女生們都很好看，那個領舞在跳完後跑到欒念面前，將手中的彩帶掛到了欒念脖子上。大家都在起鬨，欒念站在那，罕見的笑了笑。欒念的目光掃過梳雙馬尾的尚之桃，那堆女生裡屬她白，屬她笑的最燦爛。欒念被她那傻不啦嘰的樣子逗笑了。第一次見舉牌舉得這麼嚴肅的啦啦隊員。

而緊接著，在他的意識裡，他撕掉了她的短裙。欒念突然嚴肅起來，他不喜歡自己這樣。

尚之桃覺得他的笑容可真好看，他要是多笑笑就好了。輪到凌美，尚之桃兢兢業業舉了牌子，等啦啦隊跳完舞，她站在那想起孫雨昨晚講的話，她說欒念今晚可能不會讓她回家。偷偷看了欒念一眼，他並沒有看她，而是在跟三田的人講話。在講話間隙，他看了三田的領舞一眼。

尚之桃收回目光，不再看他。終於熬到活動結束，在換衣服時聽 Kitty 說：「剛剛 Luke 跟我說讓我和 Grace 參加晚上的聚餐，我們就不跟妳們一起回去了。」

「哦哦哦。」大家對此好像並不意外，再講了幾句話就散了。

尚之桃換了衣服出了更衣室，看到欒念已經換好衣服，正在跟三田的人講話，那個領舞站在他身邊。兩個人看起來有一點般配。

欒念這樣的人真的是無論在哪，都有女人緣。

尚之桃出了體育館，有點後悔早上取消了今天跟龍震天的會面。她覺得自己想多了，以後萬萬不能因為自己的胡思亂想而打亂學習的進度了。

她回了家，孫雨不在，開了電腦看了一下美劇，然後下樓去吃飯。她有點心不在焉，總會有那樣的念頭冒出來：欒念會帶她回家嗎？然後問她：有男朋友嗎？接受一夜情嗎？像他對她那樣。

隨便吃了口麵，然後回去睡覺。渾渾噩噩過了這個週末。

週一早上在電梯間又遇到了欒念，他們各站在電梯一邊，尚之桃對他問了聲早，而後就像從前一樣不再講話。欒念也沒有講話。

兩個人出了電梯，一前一後的走，尚之桃去了工位，欒念去了辦公室。

尚之桃覺得有點難熬。她在這個週末明白一件事，孫雨說得對，她不是那種會隨便跟人一夜情的人。她跟欒念發生關係，是因為她喜歡他。那喜歡藏得很好，她從前沒有發現而已。是那天球賽結束了，欒念他們跟漂亮的女生一起去聚餐，欒念的眼神在三田的領舞身上掃了幾眼以後，尚之桃的心裡泛起一絲難過。她才意識到，她對他的喜歡，比她想像中還要多。

她有點無助，不知道該怎麼處理這種事。還帶著失神，失神了就會出錯。她寄出去的 brief（廣告概述）錯了，而她沒有發現。

這一週真的很忙碌了。到了週四，尚之桃覺得肚子不舒服，翻了日曆才想起她生理期來了。她不像別人一樣痛經嚴重，但在生理期期間會拉肚子。這一天跑了好幾次洗手間，到了晚上的時候覺得心力交瘁。坐在工位上天人交戰很久，終於決定回去休息。

這還是她上班以後第一次按時下班。之前那幾個月她的生理期第一天剛好都趕上了週末。

到了家發現孫遠翥竟然在。

他們好久沒見了，尚之桃很開心，坐在客廳的沙發上跟孫遠翥聊天。

孫遠翥看她捂著肚子，就問她：「妳怎麼了？」

「沒事。」尚之桃不好意思講。

但孫遠翥懂了，她對尚之桃說：「我要下去買點吃的，妳吃了嗎？」

「我沒有。」

「那妳等我，買回來一起吃。」

「我給你錢。」

「不用。」

孫遠翥去買飯，過了很久拎了幾盒飯菜回來，對尚之桃說：「餓壞了吧？來吃飯。」

尚之桃很感激，對孫遠翥道謝：「謝謝你呀。」

「客氣什麼。」

張雷和孫雨都沒有回來，兩個人面對面吃飯，聊一些工作中的事。尚之桃說起她最近獨立接了專案，孫遠翥特別替她開心。他誇她：「我就知道妳很棒。」

真心實意替尚之桃開心。

等吃過飯，他起身去了廚房，乒乒乓乓不知道在做什麼，過了一下卻端了一碗紅糖水出來：「妳喝點這個，我不知道會不會有用。上學時聽女同學說這個有用。」

尚之桃的眼紅了紅，喝了一口，非常好喝。

「很好喝。」

「那就行。」

孫遠翥坐在她旁邊，兩個人很久都沒有講話。尚之桃覺得孫遠翥好像有點悲傷，說不出為什麼。大概是因為她從小平庸，所以格外關注別人的情緒。

「你心情不好嗎？」她輕聲問孫遠翥。

「為什麼這麼問？」孫遠翥有點意外，從來沒有人問過他是不是開心，所有人都覺得他很開心。可尚之桃問了，令他心中暖了又暖。

「說不出為什麼，只是覺得你好像不開心。」

「我很開心。」孫遠翥朝她笑笑。尚之桃喜歡看孫遠翥笑，他笑起來乾淨晴朗。

「那就好。」

尚之桃一邊喝孫遠翥煮的糖水，一邊與他聊天。孫遠翥跟她講他讀書時的故事、他的同事、他看過的書，天南海北無話不談，她心裡那點惶然無措好像被他治癒了。

「你明天出差嗎？如果不出差，週末我可以請你們吃飯嗎？我經常蹭你們的飯。」

「不出差。」

「那我們去吃火鍋好不好？」

「好。但能不能在家裡吃？」出去吃會更貴一點，孫遠翥心疼尚之桃的錢包。她剛剛開始工作，每天拚命工作，賺錢不容易。

「可我不會做飯。」尚之桃有點沮喪。

「在家裡吃烤肉怎麼樣？我們公司前段時間發了電煎餅鍋，可以用來烤肉。」

「好！」

尚之桃跟孫遠翥又聊了一下，張雷和孫雨還沒回來。於是說了晚安，各自回到房間。

尚之桃心情好了一點。雖然她一直在等欒念傳訊息給她，隨便什麼，工作、生活，哪怕是跟她說要結束他們之間的關係都行，可欒念什麼訊息都沒傳，好像在他心裡，她就不值得一則訊息。

第十章　悵然若失

是不是當一個女人愛上一個男人，就會陷入無止境的幻想之中？至少尚之桃是這樣的。在她的幻想中，欒念是有一點喜歡她的。哪怕這喜歡無跡可循，她也寧願這樣想。

她週五的工作結束得沒有那麼晚，她卻賴在工位上不走。或許會像之前一樣，她很晚出門，欒念經過發善心帶她走。她在心裡演繹許多遍當她上了他的車應該說些什麼，或者乾脆什麼都不說，他們有足夠的默契，欒念能帶她回家。

可欒念走了。他從辦公室出來，目不斜視走了出去。尚之桃心裡像有一隻貓爪在抓撓她，微疼微癢，能忍受，但那滋味總歸是不好受。

她又坐了一下，才背著包出門，趕上了末班公車。期間她的車途經十字路口，就停在欒念的車旁，她看到欒念在笑著講電話，不知道跟誰。尚之桃戴上耳機轉過頭去，她覺得愛上一個她把握不了的男人真的太讓人痛苦了。那時她也沒有那麼長遠的眼光，她只看到眼前，眼前的她因為一個人的若即若離痛苦萬分。

這難熬的夜晚將她獨立思考的能力剝離開，夜班公車在城市裡穿行，那種沒著沒落的感覺擊垮了二十二歲的尚之桃，激發了她的叛逆。

她說週末要請室友們吃飯，到了家剛好人都在，於是拿著小本子出來統計：「大家想吃什麼呀？」

「牛肉牛肉！」孫雨說。

「五花肉！」張雷說。

「雞翅！」張雷又說。

「活蝦！」孫雨緊跟著來一句。

大家報菜名，報來報去都是肉，孫遠翥坐在一旁替尚之桃心疼她的錢包。象徵性的點了洋蔥和生菜葉，然後提議：「明天我陪妳去吧。」

「哈？」

「怕妳拿不動。」

孫雨看著，嘿嘿一笑：「一起去。熱鬧。」

尚之桃這人從小心事就淺，無論什麼事到她那很快就過去了。前一天晚上還因為對欒念的患得患失而難過，第二天睜眼就跟沒事人一樣了。四個人有說有笑去菜市場，有幾次孫遠翥要付錢，被尚之桃打掉了手：「不許！我會生氣。」

「那我下次請妳。」孫遠翥誠懇，他覺得尚之桃這樣的女孩不容易，一個人來到這個城市，拿到的底牌那麼少，戰戰兢兢如履薄冰。

「好啊。」尚之桃對他笑笑：「回頭請你和龍震天吃烤鴨好不好？每次上完課龍震天都請我吃飯，我的學費還不夠他的飯錢。」

「他就是喜歡交朋友，妳不用覺得虧欠他。他宰別人的時候下手特別黑。」

「那也太喜歡交朋友了。」尚之桃咯咯笑出聲。

「妳學得怎麼樣了？」孫遠翥走在她旁邊，接過她手中的東西，只留一個小袋子讓她象徵性拿著。尚之桃感激地看他一眼：「龍震天說我進步很大，他說按照這個速度，再有一年就能出師了。」

「妳真厲害。」孫遠翥誇她，好像他從來沒見過優秀的女孩一樣。他身邊最不缺的就是會學習的人，他身邊的人都是國內外頂級院校畢業的人，那些人在一起暢想的都是星辰大海。

尚之桃有點羞愧。

兩個人一邊走路一邊聊天，孫遠翥走在外側，讓尚之桃走在裡側。當經過十字路口時，他的手握住尚之桃的手腕向後拉了一把，避免她被車撞到。

張雷在後面看到了，問孫雨：「尚之桃有男朋友嗎？」

孫雨想說有，後來一想，她那個老闆八成是個王八蛋，提了褲子就不認人。孫遠翥可比那種男人強多了，於是搖搖頭：「沒有。」

「那好，可以湊一對了，兩個人多般配。」

「是挺般配。」孫雨點點頭。

年輕人在一起很容易開心，幾個人一起洗菜，聊天，熱熱鬧鬧。張雷和孫雨又是那樣性格的人，一點都不能閒著，以至於尚之桃的電話響了很久她都沒聽到。還是孫遠翥去拿飲料看到電話在閃，喊尚之桃：「妳電話響了。」

「你幫我接好不好？」尚之桃正在洗菜，她空不出手。

「好。」

孫遠翥接起電話，輕聲一句：「喂？」他是那種哪怕只講一個「喂」字也十分溫柔的人。

欒念愣了一下，將手機拿遠看了看，沒打錯：『我找尚之桃。』

「好。請稍等一下。」孫遠翥輕聲說道，這時張雷講了一個笑話，大家笑出聲。孫遠翥走到尚之桃面前：「應該是找妳有事，要接嗎？」

「那你幫我一下好不好？」尚之桃側過臉去：「我的手濕著。」

「好。」孫遠翥將電話貼在尚之桃耳上，尚之桃的聲音還帶著笑意：「哪位？」

『是我。』欒念說道，然後不給尚之桃反應時間：『今天供應商反應所有專案進度，妳看看妳自己提的 brief。』

「好的。」

欒念率先掛斷電話，尚之桃擦了手拿過手機，看欒念傳來一則訊息：『如果連基本的 brief 都不會提，還要妳做什麼？』

尚之桃慌忙跑回臥室，打開電腦，看到自己寄出去的郵件。她寄錯了，資料管道和資料模型都錯了。供應商已經開始回收資料了。

她沒有犯過這麼大的錯誤，突然不知道該怎麼辦。

欒念正在盛怒之下，又傳來一則訊息給她：『這算一級事故，我已經跟 Tracy 和 Alex 說過了，一年之內不允許晉升和加薪，這個季度獎金減半。妳現在想補救方案。』

尚之桃坐在電腦面前，突然就哭了。

她特別難過，那天她因為欒念分神了，導致她犯了一個致命的錯誤。她覺得特別委屈，甚至開始後悔不該跟欒念有那樣的開始。如果他們什麼都沒做，她還是那個認真努力的尚之桃，並不會因此將工作搞砸。

孫雨敲門進來，看到她在哭，就問她：「怎麼啦？」

「沒事。」尚之桃抹掉眼淚：「我打個電話。」事情總該解決的，她不能停滯不前。

第一個電話打給 Alex，講了自己失誤，Alex 表示理解，並安慰她：『人非聖賢孰能無過？Luke 對妳講的話妳別放在心上，他就是那麼一說，不會真的不加薪。』

「不是加薪的事。」尚之桃難過的是他公事公辦的態度，他強硬的語氣並沒有因為他們曾在一起無比親密的度過兩個晚上而有所改善，甚至更糟。

『那不就好了？沒事啊，我剛剛跟供應商打過招呼了，這次不單獨付款，後面有其他項目會補給他們。妳寄正確的 brief 給他們就好。』

「謝謝您Alex。」

『別客氣，下次別再犯這樣的錯了。』Alex也未必能容忍下屬犯錯，只是尚之桃是初犯，並且並不嚴重，Luke誇張了而已。Alex想不通欒念為什麼這麼生氣，大概真的如公司的人所說，欒念容不下尚之桃。

尚之桃迅速調整到正確的brief寄給供應商。

然後握著手機想了很久要不要回訊息給欒念，最後還是放下手機。並沒有回覆他。

尚之桃不想回覆。

不能升職就不能升職好了，不能加薪就不能加薪好了，扣我獎金就扣我獎金好了。反正在工作這件事上我本來也沒有什麼能失去的。

我本來就沒擁有什麼。

她分不清自己是在跟上司較勁還是在跟性伴侶較勁，只是覺得她一句話都不想跟欒念說。於是將手機放在臥室，出去吃飯。她不想毀了自己一整個週末。

美食和朋友能夠拯救任何不開心。

尚之桃跟他們一起吃飯，孫雨聊到她做的那個相親的專案，說起男男女女線上相親的故事，說一個男網友用禿頭照片做頭貼，傳給每一個女孩的第一句話都是「嗨，我在牡丹園有兩間房，可以一起吃個飯嗎」，她講這個帶著十足的調皮語氣，然後問尚之桃：「他跟妳說話妳會回嗎？」

「我……我媽說讓我找個子高不禿頭的。」尚之桃認認真真回答，大家又笑出聲。

「要不然我註冊個女生帳號去聊一下？」張雷笑道：「我就是挺好奇他房子是什麼樣的……」

幾個人笑作一團。而後孫雨嘆氣：「我們這個就是優質用戶太少了，你們能不能註冊一下，提高我們的用戶品質？」

「行行行。」尚之桃說行，當即拖過了電腦，幾個人頭對著頭在網站上註冊了資料。資料還需要上傳照片，這就有點難為人了，尚之桃問孫雨：「要真人照片嗎？」

「好啊。」

「你們系統不做虛擬使用者？」張雷突然問孫雨，他做商業化，對各種商業化玩法信手拈來。

「我們做了一些……但……」

「回頭給我和遠翥看看。」

「好嘞！」孫雨非常開心：「我的事業就靠你們三個了，當然你們的婚姻大事也可以交給我。」

「我先看看你們的女會員。」張雷的商業化基因動了，此時認認真真研究起了孫雨這個專案的商業模式，還問孫雨：「要做到線下嗎？」

「當然。不過今年來不及了，應該只在聖誕節做一場，明年開始大範圍做。」

「那挺好，線下的時候讓我去，我去認識認識異性。」

「我也去。我要幫妳做托[1]。妳看我行嗎？」尚之桃舉起手。

「妳可太行了。妳就是成功男性喜歡的二十出頭工作不錯長得也不錯的女生啊！」孫雨逗她：「我要主推你們幾個！」

「這不是騙婚嗎？」孫遠翥突然說道。

「不算吧……畢竟你們都是單身……」

這頓飯熱熱鬧鬧吃了很久，尚之桃把欒念以及他的批評甩在了腦後。

尚之桃吃得多了一點，覺得自己血糖升了上來，她產生了一股幸福滿足的眩暈感，匆匆洗了澡上床，將手機調成靜音狀態，蒙頭大睡。

欒念正和譚勉等人在酒吧，放下酒杯的時候瞄了眼手機。

「晚上約人了？為什麼總是看手機？」譚勉問他。

「沒事。」

欒念覺得意興闌珊，看著臺上唱歌的人，偏過頭去問譚勉：「你說我開個酒吧怎麼樣？」

「酒吧？北京最不缺酒吧。」

1 做托，就是冒充消費者幫助兜售自己（包括與自己利益有關）的產品。

「開到山上，私人會所性質。只對少數人開放。」
「那你怎麼盈利？」
「我想開，就肯定不會賠掉。」
「三百萬投資起步。」
「錢不是問題。」
「對，忘了欒公子出身富貴了。」譚勉打趣他：「回頭陪你去選址，想好開在哪了嗎？」
「沒想好。現在就是一個念頭而已。」欒念有時覺得挺沒勁的，額外找點事做日子也能有趣點。臺上的歌已經唱到了南方，他又看了手機一眼，剛好亮起。是臧瑤。
譚勉眼尖，看到臧瑤的名字朝他立立眉，起身坐到別的地方。
『你在哪？』臧瑤問他，她的聲音聽起來有一點難過。
「我在酒吧。」
『我可以去北京找你嗎？』
「怎麼了？」
『我想搬去北京。』臧瑤說：『我在廣州待夠了，我受夠廣州了。』她突然哭了：『我受夠廣州了，我想去找你們。』
「好的。來吧。」

欒念想不起這是臧瑤第幾次搬家了，從他認識她起，她就不停的流浪，從來不肯在一個地方久居。

『謝謝。』臧瑤道了聲謝，輕輕掛斷了電話。

譚勉坐回來，笑了：「原來是在等臧瑤的電話。」

「不是。」

「那你為什麼一直看手機？」譚勉問他。

「可能會有工作電話。」欒念這樣說，但他等的工作電話並沒有來。

「所以臧瑤打給你做什麼？」

「她想來北京住一段時間。」

「挺好，你房子大。要我看，你們也別僵著了，這次她來，把該辦的事辦了，索性在一起吧。」譚勉開始胡說八道，臧瑤和他們一起玩了那麼多年，她和欒念看起來不清不楚。朋友們不只一次賭他們什麼時候修成正果。

欒念沒有講話。

他跟臧瑤之間並不是譚勉所說的那樣。臧瑤是他很好的朋友，好到他對臧瑤沒有欲望。

「住在你那間房子裡吧，我幫她付房租。」欒念並不想跟臧瑤住在一起，一旦住在一起了，很多事更說不清了。

「臧小姐差你這點房租？臧小姐差的是你將她吃乾抹淨的動作。」譚勉打趣他。

欒念並不想多講他和臧瑤的事，事實上哪怕是最好的朋友，他也不願意將自己的私生活給別人看。更何況他現在就沒有什麼私生活。

這個夜晚太無聊了，沒有任何事能提起他的興趣，卻在兩個女人經過時猛然想起穿啦啦隊服的尚之桃。

他喝了酒回到家，週末的好睡眠並沒有如約而至，順手拿起手邊的書來看，心裡思索尚之桃的問題解決了嗎？她這次沒有向自己求救，所以事情卡在了哪裡？

供應商打電話給他，他接起，聽到供應商說：『問題解決了，馬上就重新跑數。也跟您打個招呼。』

「怎麼解決的？」問題解決了，尚之桃都沒跟他說一聲？

『Alex 打給我了，說了一下情況。合作這麼久了，偶爾有一點小失誤沒關係的，吃虧是福。』供應商多聰明，自然不會對欒念說 Alex 要在後面的項目中補償他的事。他不說，不代表欒念不知道。

尚之桃可以，搞定了她的直屬老闆，她真是知道誰能救她了，學聰明了。

「Flora 將新的 brief 寄給你了嗎？」

『寄了。下午就寄了。』

「好的。」

尚之桃寄了新的 brief 給供應商，她犯了那麼大的錯誤，連一句解釋都沒有。徑直打給她，她沒有接。欒念所有的狠話都堵在喉嚨裡，她不接，他的火無處發洩。

欒念生了悶氣。

他從來不生悶氣。他從小就厲害，周圍的人都讓著他。哪怕到了職場，他也比別人跋扈一些。從前談的兩三次戀愛，他也不做君子，倒是不用跟前女友吵架，但他一來一去講話十分氣人，幾句話下來對方就會熄了火。哭鬧對欒念來說一點用都沒有，他前女友都知道。

他生氣，是因為尚之桃犯了那麼大的錯誤都不跟他解釋。她吃喝熱鬧什麼都不耽誤，打通電話給她的直屬上司了事，根本沒想過如果不是他發現問題，這個錯誤將帶給公司多大的損失，她以後又該如何在公司立足？

那股氣就纏在他心口，吐不出來，也散不下去，就這樣一直憋著。一直到第二天傍晚，他在家裡健身完，去廚房做一口吃的，看到手機亮了一下，尚之桃傳訊息給他：『Luke 您好，Alex 讓我跟您確認一下，下週的市場部週會您要參加嗎？』隻字不提她犯錯誤的事。

尚之桃根本不想提那件事，有什麼可提的，被他劈頭蓋臉罵了一頓，獎金扣了，不能晉升了，也不能加薪了。之前 Kitty 交的創意出問題，剛開始客戶差點解約，還是欒念出面擺平了，但那次都說他什麼都沒說。公司的人說他護犢子，他對尚之桃那麼苛責，無非就是因為她不是他的「犢子」，哪怕她跟他有過兩次很親密的時候。

『Alex 為什麼不自己問我？你們市場部沒人了嗎要派妳來問？』欒念生氣的時候也還是會講道理，但他從來不跟尚之桃講道理。

尚之桃見他又開始蠻不講理，就回他一句：『那我讓 Alex 自己問您。剛剛是因為他被其他工作纏住，就順口讓我幫忙問一句。抱歉打擾了。』

尚之桃說完就打電話給 Alex：「Luke 說讓您自己問他。」

『嗯？他心情不好？』

「我不清楚。」我怎麼知道他心情好不好？我跟他又不熟。

尚之桃掛了電話就去洗衣服，徹底將欒念當個屁放了。你凶我，我還不喜歡你了呢！此時的她就是那個涉世未深的幼稚的人。她以為自己是在跟上司較勁，其實不是，她是在跟她喜歡的人較勁。只是她潛意識裡不肯承認而已。

尚之桃下一個週一一早看到板著臉的欒念時，依然笑著跟他打了聲招呼，然後又站到電梯角落。欒念看都沒看她一眼，電梯門開了徑直走了。欒念那股氣就堵在他心口，這悶氣讓他對尚之桃置之不理。他也納悶，一天二十四小時，一小時六十分，一分六十秒，六部電梯二十四小時就位，他為什麼總能遇到尚之桃？

尚之桃坐到工位前認真開始工作。她犯過一次錯誤，差點搞砸了生平第一個專案，於是格外小心，再不肯犯錯。Lumi 來的時候見她認認真真就跟她打招呼：「勞工模範，『表妹，我司優秀員工，工作呢？」

尚之桃被她逗笑了，然後拉著她講了她 brief 提錯的事：「我不能再犯錯誤了。我要好好工作。」

「Luke 要扣妳獎金？一年之內不許妳升職加薪？」Lumi 有點驚訝，欒念再嚴格，也沒堵死別人的後路過，他那人只是嘴不好，如果他大殺四方，那妳不用問，肯定是那四方有問題。但這次的四方是人畜無害的尚之桃啊！Lumi 認真思索良久，終於忍不住問尚之桃：「小桃桃，妳仔細想想，妳確定妳沒得罪過 Luke 嗎？」

「我沒有啊。」尚之桃敢得罪他嗎？接著問道：「為什麼這麼說？」

「因為 Luke 顯然是在刁難妳。不然怎麼解釋這件事呢？」

「Luke 又不是第一天刁難我，我可是三番五次被他勸退的人。」尚之桃笑了笑，轉過頭去工作，不再談論這件事。

尚之桃心中再開朗，但也還是一個很要強的人，骨子裡就那一點小小的自尊，被欒念踩得稀巴爛。這令她不想面對他。

Lumi 和 Alex 有兩次讓尚之桃幫忙找欒念對專案進度，她都婉拒了。也是為了避開欒念，她都算好了時間去趕末班公車，如果工作沒做完，就把電腦背回家裡。

專案資料開始陸續回傳。

尚之桃曾想過這資料不會太簡單，卻發現這根本是很複雜的事。分析不需要她做，但需要她能看懂。她開始陷入行業資料裡，一看就是大半天。做商業分析的同事對她說資料講求邏輯之美，妳需要在繁雜的資料中去發現規律和突破，看懂是一回事，分析又是另一回事。

尚之桃嘗試著去發現同事所說的邏輯之美，無果。這令她有一點沮喪，邏輯是什麼？為什麼我沒有？她跟孫遠翥聊起這件事，孫遠翥建議她做一些邏輯訓練。

「比如呢？」

『比如……』孫遠翥在電話裡說了一半，然後笑了：『週末我來開個班吧？』

「那好啊。」

『工作的事妳不用太著急，不要覺得自己是萬能的，一個人能做所有事那是不可能的，妳要認清自己，也要學會示弱。適當降低妳老闆對妳的預期，這也是一種向上管理。』

我降低不了。

我老闆覺得我什麼也不是。

尚之桃心裡說道。掛斷電話向辦公區走，在自動門那裡遇到了欒念。她已經好幾天沒跟他打過照面了，象徵性問一句：「Luke好。」

「資料回收得怎麼樣？」欒念突然問她，問的尚之桃一愣。

欒念卻好像心情不錯，插著口袋站在那裡等她回答。

「已經回收了三個行業的資料，接下來會有專業的商業分析團隊介入分析。」

「嗯，加油。」

「謝謝。」

周圍會有人路過，尚之桃不想在大庭廣眾之下跟他講話，那樣會讓別人覺得他是大度的老闆，而她是扶不起的小阿斗。她朝欒念笑笑：「抱歉Luke，我還有工作要處理，您關心的專案進度我稍後整理一下，寄給 Alex 和您可以嗎？」

「好啊。」欒念在微笑，春風和煦的樣子。

尚之桃看不懂他，索性就不看他，朝他點點頭，走了。背影裡寫滿倔強，這次她的倔強非常明顯，欒念看到了。

尚之桃想不通她為什麼再一次上了欒念的車。她明明站在那裡等公車，可是公車沒有來。她看到欒念的車開了過來，僅剩的那點自尊讓她別過臉去，假裝沒有看到他。

欒念卻把車停到她面前，對她說：「上車。」

「謝謝您，我等公車。」尚之桃不再講話，也不看他。她心裡的委屈無處訴說，就這樣藏在她心底，不強烈卻也並非察覺不到。她有點期望欒念能說一兩句柔軟的話，比如妳很努力，我看得到；人非聖賢孰能無過？犯錯誤沒關係，我可以為妳撐腰。就這一兩句話，像他對 Kitty 那樣就行了。尚之桃不知道自己為什麼要跟 Kitty 比較，不幸的感覺都是源於比較。

欒念也不講話，就那樣看著她。男女之間的這種僵持，就是要看誰更弱一些。尚之桃禁不住他的端詳，哪怕她側過身去，也還是能感受到欒念那沒什麼溫度的目光將她包裹得綿密。

年輕的女孩沒有跟誰進行過這種心力的角逐，漸漸就有了頹勢，最終落敗得一塌糊塗，懵懂著坐上了欒念的車。

「去哪？」欒念問她，看似是把決定權交給她，其實他們兩個都無比清楚答案，尚之桃只能去他那。欒念比尚之桃更了解她自己。

尚之桃與他較勁，對他視而不見，躲著他，看起來很有風骨，又帶著倔強，可從裡到外都清楚明白：尚之桃喜歡欒念，欒念看得見。

這看得見的喜歡令欒念感興趣，他時常被人喜歡，但尚之桃這種獻祭似的愛很新鮮。他一邊開車一邊想，他其實是卑鄙的。是他先對尚之桃動了欲望，然後織了一張網將她網了進來，他有時看著尚之桃的欲蓋彌彰都覺得自己會遭報應。

將車停在地下車庫，卻並沒有馬上下車。而是對尚之桃說：「Flora，我們談一談。」

尚之桃轉過頭去看他，眼睛裡那一道光很溫暖。

「首先，我們的關係是性伴侶而不是戀愛，妳認同嗎？」欒念想把話一次性講明白，從此他們不必再費心為他們之間的關係去下定義。性就是性，愛就是愛，彼此分得清清楚楚。

尚之桃又將臉轉過去看向車窗外，頭腦空了一下，過了幾秒才說：「嗯，我認同。」

「所以，我們不需要彼此約束。不管我們之中哪一個想要戀愛，或者想跟別人發生關係，都坦誠講出來，然後結束我們之間的關係。妳認同嗎？」

尚之桃終於明白什麼是性伴侶了，原來是這樣，彼此解決需求又不影響遇到別人，真的很自由了，她點點頭：「認同。」

「那我們是不是不能把我們的關係告訴任何人，包括親人、朋友、同事？」尚之桃問他。

「我覺得是這樣，妳也這樣想嗎？」

尚之桃沒有太多主意，她見過的社會和人間太少了，她不知道是不是所有女孩都會遇到這樣的事。她明明在心裡拒絕了欒念，可她的頭卻點了點。她看到欒念笑了。欒念笑起來很好看，他不經常笑，偶爾笑那麼一次，會讓人無法自拔。

後來，當她的火車駛離北京，車輪在鐵軌上摩擦出鈍響，她的心像被碾過一次的時候，突然就想起那天晚上欒念的笑。分明是在笑她是個傻瓜。

「Luke，我餓了。您可以做點吃的給我嗎？」她改不了對欒念用您的習慣，她心中始終對欒念充滿敬畏。尚之桃結束了這個話題，她覺得這沒什麼可討論的，本來就是一局勝負分明的殘棋，他隨便動一個棋子，她就是死局。

「好。」欒念下了車，為她開了車門。

她喜歡看欒念做飯，她乖乖等在那裡，看欒念挽起衣袖為她做義大利麵煎牛排，那個冷峻的男人像是走下了神壇。尚之桃覺得這個畫面性感極了，她走上前去，指尖捏住他的衣角拉了拉。

「Luke，我不想吃東西了。」

「嗯？」

欒念偏過頭去看她，尚之桃踮起腳尖將唇印在他下頷，若有似無的一下，抬起眼看他：「做點別的。」

欒念嗓音有一點啞：「比如？」

尚之桃不講話，手拉著他衣領讓他低頭，牙齒咬在他下巴上：「比如，這樣。」

尚之桃從前不是這麼開放的人，她跟辛照洲在一起時總會羞怯。可她在欒念面前就是這麼放得開，她的身體遵從她的意見，想什麼就去做什麼，頭腦中在叫喊：反正我們不相愛。

如果不相愛，那就只有性了。

尚之桃想得明明白白徹徹底底，既然只有性，那就好好享受性好了。這種新奇的體驗讓她看到了世界的另一面。在世界的另一面，一切都沒有想像得那麼光明，卻也不是那麼至暗，只是現實血淋淋的，也沒有那麼美好。

尚之桃支在沙發上，驀然抬頭的瞬間看到外面孤零零幾條雪線，斷續一句：「下雪了。」是這一年冬天北京的第一場雪，北京那幾年不大下雪，那天那一層薄薄的雪何其珍貴。

「賞雪嗎？」欒念問她。

「好。」

他抱她至窗前，小院內昏黃的燈光，隱隱的雪和頹敗，冰涼的玻璃緊貼她滾燙的肌膚，激起一層細細的雞皮疙瘩。她嚶嚀一聲縮進他懷中：「涼……」又是那麼一聲，整個人力氣盡了，任他予取予求。

冰城長大的孩子有多喜歡雪呢？尚之桃不肯上樓，裹著被子坐在那看雪。欒念也就不上樓，坐在沙發上翻書。他有一種罕見的滿足感，心中的戾氣少了一點，再看尚之桃就覺得她其實算是個賞心悅目的女生。

可不是？剛剛經歷過一場瘋狂歡愛的女子，此時安靜的斜倚在那，頰邊的嫣紅還殘留了幾分，認真的賞雪。看起來格外順眼。

欒念並無他求。這樣就挺好。

凌晨四點，尚之桃終於熬不住，上了樓，去到那間客房，雖然才第三次睡在這，卻很熟悉了。與欒念說了晚安，關門，爬上床，關了夜燈。黑暗如約而至，來自北國的女生聞到屋外雪的味道，睡得格外沉。

她把心事都放下了。事實上她也沒有什麼心事，她前幾天的心事只是跟欒念較勁而已。第二天當她睜眼，想起欒念前一晚與她講的話，他們的關係至此清晰明瞭，再也不用贅述了。

起床穿衣服，欒念還沒起床，她輕手輕腳刷牙洗臉，然後出了欒念的家。別墅區不小，她每次都要走十幾分鐘才能走到門口。奇怪的是保全已經認識她了，甚至朝她點頭。只是那眼神很奇怪，也說不清是輕視還是同情。尚之桃也沒有心思琢磨這些，求知欲令她想早早回家，孫遠翥說要跟她講資料分析邏輯。

尚之桃想變得更好，具體好到什麼程度她沒有想過，但她希望自己每天都能進步一點。在她的想像中，幾年以後，她變得很強大了，那時她能跟欒念平等的對話。

進門時孫遠翥已經起床了，看到尚之桃朝她笑笑：「回來了？」

尚之桃點點頭。

其實在北京這樣的城市，有很多事情你不必講得仔細。一個女生徹夜未歸，肌膚上還留有前一夜的證據，這時一切昭然若揭，多問一句都是廢話。孫遠翥不傻。

但他並沒有因此誤會尚之桃，他以為尚之桃陷入了愛情，一場並沒有讓她很開心的愛情。

「妳再睡一下，我加個班，下午跟妳講好嗎？」

「好啊。謝謝你。」尚之桃回到臥室，當真爬上床，又睡了一下。

她和欒念之間的關係，只在週五的夜晚。這其實很合尚之桃的意，她週末原本就安排了學習，這樣真的什麼都不耽誤。

孫遠翥是一個很好的老師。

他甚至自備了一塊黑板，放在餐桌前，站在那裡，像時光裡的少年。怎麼會有人這麼乾淨呢？孫雨坐在尚之桃旁邊，傳了一則訊息給她：『尚之桃，為什麼孫遠翥這麼乾淨？』

尚之桃也不知道為什麼。孫遠翥就是這樣的人，二十六歲還有一身乾淨少年氣的人。在尚之桃心中，孫遠翥不染塵埃。一直都是。

『尚之桃，我水性揚花了。我才失戀兩三個月而已，可我現在愛上孫遠翥了。』孫雨又對她說。

尚之桃哇了一聲，從手機上抬起頭，孫遠翥停止講課，認真問道：「有什麼問題嗎？同學？」

尚之桃搖搖頭，看看孫雨：「老師我沒有問題，她有。」

孫雨罕見的臉紅：「我也沒有，要不然老師你從頭再講一遍吧，我從第一句就沒聽懂。」孫雨那麼聰明，返利匯款張口口算的人，卻說她聽不懂，無非是想聽孫遠翥多講幾句話。

孫遠翥真是有耐心，耐心又笨拙：「那我再講一遍。」

『要不然我走？』尚之桃偷偷傳訊息給孫雨。

『別。』孫雨回她：『我只是順口一說，我沒有勇氣。』

『妳沒有勇氣？』尚之桃有點意外，妳可是天不怕地不怕的孫雨，妳怎麼會沒有勇氣？

『我沒有。』

他太好了。孫雨在心中說。

孫雨講的是真話，孫遠翥這麼溫暖乾淨的男生只可遠觀，哪怕別的女生想去到他身邊，孫雨都會有護在他面前的念頭。

尚之桃學得很認真。她能免費聽到這麼頂尖的資料分析課，來自於國內頂級院校優秀學生代表的親授，別人沒有這樣的運氣，她有。

她看看孫遠翥，又看看孫雨，目光溫柔，又藏著故事。

尚之桃生平第一個專案完成的還算順利，除了最初那個插曲。那天下午，當她坐在會議室裡，完成項目交付時，竟有一點隱隱的激動。雖然這只是一個稀鬆平常的小項目，卻是她很大的進步。

她在會議室裡多坐了一下，並且迫切的想找人說上幾句話。最先想到的就是欒念，他一直在指導她該怎麼做，尚之桃很感激他。她想跟他分享自己的喜悅，她這麼想，也這麼做，她傳訊息給欒念：『Hello，我人生第一個獨立的項目交付了。我有一點開心。』

欒念正在開股東會，看到這則訊息，破天荒回她一句：『恭喜。』

再過一下他又傳來一則訊息：『要請我吃飯嗎？』

『要！』

『去山上吃魚？』

『好。』

尚之桃的喜悅有了落腳處，開心得像個孩子。她找了個離公司遠一點的地方等欒念，他開車來接她，上車的時候問她：「選這麼遠的地方？」

「怕人看到。」

「……不能因為工作？」欒念問她，見她恍然大悟的樣子忍不住笑了：「妳八成是有點傻。」

兩個人朝山上開，快到魚莊時，欒念轉進了一條小路，尚之桃小小一聲：「哎？」

「今天沒跟妳室友說妳跟我出來吧？」

「沒有。」

「那方便我殺人拋屍了。」欒念一張臉嚴肅，察覺到尚之桃呼吸一緊，轉過頭看她一眼。開到一座破舊民宅前他停車下了車。

尚之桃跟在他身後站在民宅前，民宅前有一大片空地，可以做天然停車場。

「我想在山上開個酒吧，在選址。這裡怎麼樣？」

「哈？」尚之桃對這些沒有概念，只是覺得這地方有點破舊：「要翻新嗎？」

「推了重新蓋。」

「……那為什麼要開在山上？」

「方便看星星。」

尚之桃抬頭看了看，山上的星星真的比山下的好看。尚之桃打了個噴嚏，冬天山上的夜晚太冷了。

「走吧。」

他們上了車，欒念問尚之桃：「這裡怎麼樣？」

「看星星很好啊。」

「那就這裡。」

「啊？」

欒念從來不是優柔寡斷的人，別人傳了這個地址給他，今天也是他第一次來看，尚之桃站在空地抬頭看星星的樣子挺美，突然就決定了。

魚莊的老闆竟然還記得尚之桃，問他們：「現在撈？」

「好，謝謝。今天不從我卡裡劃，今天這位女士請客。」欒念板著一張臉，對老闆說。

「是的是的。」尚之桃點頭。

「撈條大的，吃不了我打包。」欒念又來一句。

「那倒也不必。」尚之桃拒絕。

老闆站在一旁笑了：「我去撈魚。」

山上剛下過雪，蓋在燈籠上，樹的枝椏上，尚之桃很喜歡，站在一塊石頭上將枝椏上的雪搖下來，兀自笑了。欒念就站在那看她，不跟她一起玩。

尚之桃覺得這個晚上很好，她所求不多，像今天這樣，她有了進步，欒念願意跟她一起慶祝，就足夠了。

轉眼間就冬深。

尚之桃有時會期待更多，比如耶誕節公司會放假，年輕人都喜歡耶誕節，尚之桃也一樣。可樂念要休假了，去北海道。尚之桃有一點失落。

尚之桃早早結束工作，打了電話給姚蓓：「學姐，我完成那個項目的交付，有項目獎金哦！我要請妳吃飯。」

『好啊。我下班去接妳。』

「那我可以叫上我室友嗎？還有我導師。」

『所以冰城女孩開始搖人了嗎？』姚蓓笑道。

在尚之桃的老家，並不算很大的城市，冬天漫長，大家最常做的事就是喝酒。散在城市各個角落的人，打幾通電話就迅速能坐到一起。冰城人在喝酒前最常問的是：「搖人嗎？」這個習慣被尚之桃學得很好。

尚之桃笑了：「一起熱鬧嘛。妳別開車啦，我也不讓我導師開，我們去喝點小酒。」

『那挺好，剛好下雪了。可妳明天不上班嗎？』姚蓓問她。

「明天是平安夜，我們公司有三天聖誕假。」

『還有聖誕假這麼奢華實用的假期？』姚蓓著實羨慕。

「美企嘛。」

欒念帶給她的一點失落轉眼就散了，她破天荒沒有加班，收拾好東西就走了。Lumi在一旁問她：「是上次我送回家那姐妹嗎？」

「是啊。」

「那我今天要跟這姐妹好好喝酒。」她講著話把手臂繞到尚之桃脖子上，與她勾肩搭背：「我問妳，來北京快半年了，交到男朋友了嗎？耶誕節怎麼過？」

耶誕節怎麼過呢？尚之桃沒有想過。欒念當天晚上的飛機就要走了，尚之桃在他家裡聽他打電話，好像是有幾個朋友每年一起過，從耶誕節到跨年。今年他去北海道。

「我想在家大睡三天。」她想好了，最近太辛苦，今天喝點小酒，明天睡個天昏地暗。

「那多浪費。」Lumi對她笑笑：「我幫妳介紹個男朋友行不行？」

「嗯？」

「我青梅竹馬，比妳大三歲，自己開了一家小飯館，家裡三間房子，人長得也不錯。考不考慮？」Lumi挺希望尚之桃能跟她的青梅竹馬戀愛，她喜歡尚之桃，如果他們在一起了，那他們以後就能一直在一起玩了。

「可是我還不想找男朋友。」尚之桃忙說道，她覺得她跟欒念的關係並不算乾淨，而她又沒有抽身的打算。她不想侮辱任何人。

「好吧。那改天一起吃個飯總行了吧？」

「哈哈，好。」

兩個人出了公司去坐地鐵，去 Lumi 老房子附近吃炙子烤肉。下了地鐵看到孫雨已經等在那，下雪了，她看得入迷。尚之桃叫她，她朝 Lumi 笑笑，並沒有認生。姚蓓也不認生。幾個人就這樣第一次湊在了一起。

姚蓓對另外兩人說：「小桃桃上學的時候人緣就非常好，喜歡她的男生也不少。對不對？」

尚之桃被誇得有點臉紅，忙搖頭：「沒有！只有辛照洲一個！」

「不是，很多男生喜歡妳。妳不知道而已。妳那麼遲鈍，只有辛照洲那樣的偏愛妳才能看得出來。」

尚之桃想起辛照洲。

姚蓓說得沒錯，辛照洲真的是偏愛她呀。可是再偏愛又能怎麼樣呢，在最後不是一樣要一個北上一個南下嗎？尚之桃在快要過節時有一點脆弱，也不知道辛照洲現在在深圳怎麼樣了。

她端起 Lumi 的酒喝了一口，眼睛有點紅了：「辛照洲真的偏愛我啊。我覺得我這輩子恐怕再也遇不到像辛照洲那樣明晃晃的愛我的人了。」

她很悲觀。

下雪的時候她承認她喜歡欒念，卻也不奢望欒念喜歡她。欒念講電話不避諱她，他聽到一個男人說：「這次去北海道，你和臧瑤能不能修成正果？」

臧瑤是誰？欒念會在節日的時候送她一束花嗎？尚之桃喜歡花。她還記得在大三那年的耶誕節，辛照洲抱著一束花站在宿舍樓下。擔心花被凍壞了，將大衣敞開來，將花護在他身前，有狼狽的浪漫。

她們吃完飯，Lumi 嚷嚷著要去夜店。她對她們說：「別做乖乖女！去夜店跳舞喝酒！到了夜店妳們就會發現，去他媽的男人！」

都沒有去過夜店的女人們，跟在 Lumi 身後就這麼去了。尚之桃到了夜店才發現自己還是天真了。進去第二分鐘她就覺得心臟要跳出來了。姚蓓和孫雨倒是適應，跟 Lumi 一起跳舞。她們不讓她坐在那，也不許她喝檸檬水，要了一杯雞尾酒給她。Lumi 在她耳旁喊：「今夜不回家！」

尚之桃覺得她好玩極了，笑出了聲，也學 Lumi 啜了口酒。尚之桃是從那天開始喝酒的。但她喝酒挑人，只跟喜歡的人一起喝。那時她酒量還不好，半杯雞尾酒下肚，就頭昏腦脹。好在人還算清醒，坐在那裡跟著音樂搖擺。欒念的電話打來時她沒看清，只看到手機亮了，順手接起：「喂？」

也是湊巧，坐了那麼久都沒人理睬她，偏偏她接起電話，一個男人湊到她電話旁：「美女，來跳舞！」

尚之桃下意識躲開他，再去看電話，已經掛斷了。她打開來電，將手機拿得近了些，看到欒念的名字。於是禮貌回訊息給他：『有事嗎？剛剛沒聽清。』

『妳在哪？』欒念問她。

『我在夜店。』尚之桃並不覺得來夜店有什麼，夜店除了太吵其他都還挺好玩的，她也漸入佳境。

欒念沒再回她。他知道年輕的女生都喜歡玩，平時看起來再乖巧也還是有叛逆的時候。尚之桃去夜店跟他也沒有關係，就算她今晚跟哪個男人回了家，他也並不介意。過了很久才又傳訊息給她：『我的魚麻煩妳幫我照顧一下。』

尚之桃沒再回他。

確切的說尚之桃喝多了，她連自己的手機在哪裡都不知道，被另外三個女人送回了家。等她第二天上午睜眼的時候，雪已經積了厚厚的一層。

她有點悵然若失。

北海道也下了這麼大的雪嗎？於是拿出電腦查看北海道的天氣，北海道的雪果然很大，小樽可真美。網站上只有幾篇關於北海道的遊記，被她看了不知道幾遍。是在平安夜那天的晚上，她突然看到一篇簡短的遊記，剛剛上傳，遊記裡有一群人的照片，其中一張那個人她很熟悉，欒念。

欒念將手伸到一個女生腋下，將她舉起來，丟到雪地裡。他笑得很開心。

原來他也有那麼開心的時候。

那個女生尚之桃也覺得熟悉，想了很久很久，才想起是在廣州的那個夜晚，去欒念房間的那個女生。原來她叫臧瑤啊。

臧瑤真好看。怪不得他的朋友們要他快點修成正果。

尚之桃將那遊記看了幾十遍，她甚至能將臧瑤的描寫背下來，她說：「這一生，一定要跟愛的人來一次北海道啊。在小樽喝清酒，在洞爺湖看雪，在野湯泡溫泉，一群人喝得微醺，彼此看一眼，說：要永遠在一起啊。」

這段話寫得真好，尚之桃幾欲流淚。她最喜歡臧瑤那張照片，在厚厚的雪地上，她踮起腳尖跳舞。

是她所未能擁有的人生。

她的平安夜過得有點孤單，樓下有大人帶著孩子互相送蘋果，那幾年大家對西洋節慶充滿了熱情。她覺得她也應該吃顆蘋果，於是跳下床去客廳，看到餐桌上放著一顆蘋果。蘋果下壓著一張紙，上面寫著：「給尚之桃。平安夜快樂。孫遠翥。」

尚之桃突然就哭了。

第十一章　新年快樂

尚之桃整理好情緒，第一次去敲了孫遠翥的門，她想當面對他說聲謝謝。

他正在看美劇，尚之桃看到他的房間內堆滿了書。他好像並不在乎這個節日，像往常一樣自在。

「哇。」尚之桃站在門口頭探進去：「你有好多書啊！」

「沒什麼別的愛好。」孫遠翥有點不好意思：「妳怎麼沒出去玩？孫雨呢？」

「孫雨她們公司今天籌組聯誼活動，說是要到半夜啦。張雷出差還沒回來嗎？」

「還沒有。」

突然不知道還要說些什麼，就這樣靜了下來。孫遠翥看到尚之桃的目光幾次落在他臥室內堆著的那些書上，就問她：「要不要進來看看有沒有想看的書？」

「方便嗎？」

「方便。」

尚之桃從來沒仔細看過欒念的臥室，她總覺得欒念的臥室距離她很遙遠，卻仔細參觀了孫遠翥臥室內的書。尚之桃第一次知道一個愛書之人是什麼樣子，除了書，孫遠翥再沒有別的東西了。他像一個先生，無論世事變遷，他只要一張安靜的書桌足矣。

孫遠翥令尚之桃覺得安穩，這樣的安穩感陪伴尚之桃很多很多年。

尚之桃仔仔細細地看，他看的書很雜，政治、經濟、歷史、地理、藝術、物理、天文、文藝，什麼都有。尚之桃順手翻了幾本，他在每一本書的第一頁夾上他的讀書筆記，只有一頁紙，那字寫得極其好看，尚之桃甚至覺得比她自己的還要好看。而那些書，除了封面，沒有一處有褶皺汙漬，乾乾淨淨。像他整個人一樣，太過珍貴。

「要不要挑兩本看？書非借不能讀也。」孫遠翥見她喜歡，就問她。

尚之桃忙擺手：「不要不要。」她不敢借孫遠翥的書，她看書並不像他那樣，她會在書上隨手塗抹，看到哪會順便折一個小角。她怕毀了孫遠翥這些好書。

孫遠翥被她的小心翼翼逗笑了，抬腕看了看時間：「咦，十一點了。我們兩個要不要搞一個讀書會？分享一下近期讀過的好書？」

「我近期讀的書是商務英語。」尚之桃自嘲道：「公司同事英文很厲害，有時開國際會議，他們講話我聽不懂。」

「那妳就分享商務英語。」孫遠翥提議。

「我可以分享我大學時看的書嗎？」

「也好。」

兩個人一拍即合，還像模像樣的洗了水果，面對面坐在客廳裡，一人拿著一本書。尚之桃拿著《許三觀賣血記》，孫遠翥拿著《國家地理》。

如果沒有孫遠翥，尚之桃會覺得這個聖誕很難熬。當她抱著電腦一遍遍看那篇遊記時，尤其看到欒念的笑容，她都覺得自己太荒唐了。

「我喜歡這本書，看過四遍了，每一遍都哭得停不下來。」

「我看過。我也是。」孫遠翥說道。

「真的嗎？」

「真的。」

尚之桃突然發現，孫遠翥的坐姿跟她很像，他們坐著的時候都是那樣筆直，看起來有一點謙卑。尚之桃以為自己的謙卑是因為她永遠平庸，而孫遠翥那麼優秀，卻也還是這樣。

尚之桃輕輕笑了，屋門鎖響了，他們同時看向門，看到披星戴月的孫雨。她神情並不好看，但還是朝他們笑笑。看到桌上的書，訥訥一句：「你們在讀書嗎？」

「我們在開讀書會。」尚之桃起身接過孫雨的大衣幫她掛上，又小心翼翼看她一眼：「妳怎麼啦？」

「我看到前男友了。在我們舉行活動的地方，他和他的女朋友，一起過平安夜。」孫雨輕聲說道：「我是不是不該說這個？你們讀書會開得好好的。」

「我挺想聽的，如果妳想說的話。」孫遠翥突然開口講話：「不過我覺得這麼說太枯燥了，我們最好邊吃邊說。」他笑的時候露出一排整齊的牙齒，憑一己之力拯救兩位女士的不開心。

好多年以後，孫雨在醉酒後捏著尚之桃的衣領哭得涕泗橫流，咬著牙說：「如果世界上多幾個孫遠翥多好？」

他不光提議，也起身到廚房，翻出他們僅有的泡麵、番茄和青菜，煮了一份學生宿舍泡麵給她們。三個人一人一碗麵，第一口泡麵下肚就看到孫雨的眼淚滴到碗裡：「我們在一起的時候，都沒出去過節過。」

起初在一起，都是一窮二白的人，口袋裡比臉都乾淨。一到過節就窩在家裡，口口聲聲不想排隊，其實是追不上節日飛漲的物價。也或者兩個人各自在城市一邊，打一下電話，就算過節了。連花都沒有收過。

這種委屈尚之桃好像嘗過，又好像沒有嘗過。她不知道該怎麼安慰孫雨，想罵她前男友是臭男人，想起孫遠翥也在，生生憋了回去。

「男人，有那麼一小撮男人，其實非常差勁。」孫遠翥卻主動批判：「妳只是恰巧遇到了一個。不知道怎麼安慰妳，不如我請客，我們去看午夜場吧？」

孫雨破涕而笑：「午夜場，我還沒有看過。」

「我也沒有！」

「那太遺憾了，我上學的時候，總是和同學們去看午夜場。我們走吧？」說走就走了。

平安夜的深夜，三個年輕人出了家門，在熱鬧的街頭行走。這城市本來就熱鬧，如果遇到這樣的節日，人流更是經久不散。他們穿梭在人流中，真切的察覺到人的渺小。

到處都熱鬧。就連平安夜的午夜場也是。

他們三個人排了很久的隊，終於買到電影票。平安夜的電影院座無虛席，他們三個坐在情侶當中尤顯突兀。孫遠翥買了可樂爆米花給她們兩個人，對她們說：「像孩子一樣開心吧。」

在平安夜的夜晚看愛情片，電影裡演的美好令人羨慕。尚之桃看了幾次手機，她想對欒念說節日快樂，可又覺得他正身處於開心之中，她那句節日快樂看起來一定很荒唐。孫雨見她一直低頭，湊到她耳邊對她說：「別說任何話，相信我。」

孫雨好像看透了愛情，越主動的下場越慘，沒人能逃出這個魔咒。她不希望尚之桃像她這樣，輸得一塌糊塗。尚之桃那根本不能算作愛情，只是一個男人管不住自己的下半身，被衝動沖昏頭腦而已。

「嗯。我知道。」難過的人看愛情片都會哭得很慘，尚之桃也一樣。她也不知道自己怎麼了。她這麼遲鈍的人，沒主動喜歡過什麼人，從前辛照洲先愛上她，她才慢慢動心。她不知道喜歡一個人竟然會這麼心酸又怯懦。

她從此愛上了午夜場。

後來有很多時候，她一個人去看午夜場，如果不是節日，午夜的電影院沒有什麼人。她選一部安靜的電影來看，把某一段時光的難過、疑惑、不甘都留在電影院。

「北海道冷嗎？」他們從電影院出來，尚之桃突然問道。

「還好吧。」孫遠翥說：「溫帶季風氣候，對冰城人來說，北海道相較此時的冰城只能算涼快。」

尚之桃笑出聲：「我是不是假冰城人，我特別怕冷。你看我，要在冬天穿很多很多衣服。」

「挺好，知冷知熱。」孫雨攙著她手臂：「我好了。還好今天晚上有你們。」

「那就好。」

孫遠翥微微笑了，眼鏡上結了一層霜，他拿下來擦掉，眼睛旁邊有被鏡框壓出的痕跡，但並不影響他清爽溫柔。尚之桃想與孫雨講話，卻看到她的目光落在孫遠翥身上，不似平常那樣頑皮，很安靜。尚之桃好像突然間懂了什麼，又好像什麼都沒懂。

她默默換了個位置，換到孫雨另一側，不做站在他們中間的那個人。

凌晨三點的北京，竟然下起了雪。

「我們學校好多學生會在這樣的時候唱〈戀戀風塵〉。」孫遠翥問她們：「聽過嗎？」

順口哼了兩句。

那天黃昏，飄起了白雪。

從電影院回住處，要走六公里。他們三個人都拒絕攔車，緩緩在雪中漫步。就這麼走著，都沒有講話，一直走到樓下。孫遠翥突然問她們：「要不要幫妳們拍照？」

「好啊！」孫雨喜歡拍照，所以喜歡這個提議。

「那妳們等著，我上去拿相機。」孫遠翥是一個攝影愛好者，他有時會買很貴的器材，出差的時候帶著，去拍不同的城市和人。

他舉起相機，對站在雪中的女孩們說：「對，就是這樣，微微側過臉。」他聲音很輕，怕吵到熟睡的鄰居，好在三個人足夠默契，哪怕這樣，也能意會。

那天他們穿行在一個有雪的世界裡，相機記錄下這段浮光掠影。女生們好看，但笑得都不開懷。放大來看，眼裡都還有愁思。

「要拍個合影嗎？」孫遠翥問。

「好啊。」

他支起三腳架，在社區的涼亭裡，雪中的薄霧晨曦，他們站在那，孫遠翥站在中間，笑容晴朗，孫雨看著他，尚之桃看著鏡頭。

照過了相突然都有些落寞。

「不如，等到夏天的時候，一起去泰山看日出吧？」孫遠翥提議。

「好啊！找一個張雷也不忙的週末。」

在此時的北海道，臧瑤站在欒念對面。幾個朋友坐在一起通宵。譚勉突然問臧瑤：「關於欒念，妳有沒有什麼祕密瞞著我們？」

「真心話大冒險嗎？」臧瑤抗拒。

「不是，單純好奇。」

臧瑤點點頭，她說：「我只知道我們是很好很好的朋友，但其實在開始的時候，我記得，我們都不想做彼此的朋友。」

她看著欒念，有一點試探。

欒念喝了點酒，神思有點恍惚。他不大記得剛開始的時候他們是什麼樣了，但卻堅定的搖頭：「我記得最開始的時候，我就只想跟妳做朋友。」

沒有人對欒念的話表示驚訝，大家都知道他是什麼樣的人，他講話從不迂迴。哪怕他今天這句話可能會讓他失去臧瑤這個朋友，他也不會換一種方式來說。

「喝多了喝多了。」譚勉在一旁打圓場，幾個人共同笑起來，企圖把尷尬笑過去。

「我沒喝多，我知道我說了什麼。」欒念打斷大家的笑聲：「臧瑤，跟我出去談談。」

「一定要在平安夜這一天談嗎？」臧瑤看著欒念：「你知道這可能會毀了我這一生所有的耶誕節。」

「妳剛剛說最開始我們都不想做朋友是什麼意思？我不記得我有對妳表達過什麼特殊的感情。」欒念突然想起張欣說過的話，她說你真冷血，你不是人。

臧瑤點點頭：「那是我誤會了。」她有點難過，她一直以為欒念對她是不同的，無論她搬去哪裡，他總會去看她。欒念是她為數不多的舊時朋友，知道她所有的故事。

「如果讓妳受到傷害，我很抱歉。」

臧瑤笑著搖頭：「別，你是欒念，欒念從來不會認錯。何況這不是你的錯。」

「我很遺憾。」

臧瑤聳肩：「開心點，我回去還要搬家，我真的準備在北京住一段時間，然後……我想去銀川。」

「我有毀了妳一生所有的耶誕節嗎？」欒念問她。

「不至於。」臧瑤朝他笑笑，心裡卻無比難過。欒念是她心中對男人最後那一點期待，她從來都知道，她真的愛他，只是她不敢而已。

尚之桃體會到煎熬。

她還年輕，喜歡一個人不懂掩藏，想念也不懂。她整天盯著手機，希望能跳出欒念的隻言片語。有點卑微的指望他能在快樂假期的間隙偶爾想起她這個「床伴」。

哪怕像從前一樣問她工作都好。但欒念沒有。

她直到耶誕節的傍晚才想起欒念要她幫忙照顧他的魚。那條紅龍，尚之桃前兩次去的時候偷偷幫牠取了名字：小紅旗。

『可我沒有鑰匙。』她傳訊息給欒念。

『花園那棵樹上，綁著的那個聖誕裝飾裡。』

『好的。』

尚之桃穿上羽絨外套出了門，穿行在耶誕節的傍晚裡。這世界真的熱鬧，令她那顆心越發鮮活，想參與到這熱鬧中。可是姚蓓出差了，孫雨有耶誕節交友活動，Lumi一定泡在夜店裡，她不知道該找誰玩。

到了欒念家裡，發現他的院門沒有上鎖。欒念對他社區的治安真的很自信，推開門進去，看到他庭院中那棵樹綁上了一顆紅球。欒念敷衍的裝飾了他的樹。

尚之桃摘下紅球，從裡面拿出鑰匙，打開門走了進去。開了燈，看到小紅在巨大的魚缸裡游。尚之桃不懂怎麼照顧魚，她連自己都照顧不好，怎麼照顧魚？

『Luke，請問我應該怎麼照顧你的魚？』

欒念的電話來得快，尚之桃慌忙接起，聽到欒念說：『幫我把魚缸換過濾棉，過濾棉在廚房的儲物櫃裡。然後看一下水溫，再投餵一點魚飼料。』

「哦。」

尚之桃跑去廚房找過濾棉，將電話放到一邊，乒乒乓乓折騰，欒念也不催她，等她取出過濾棉，又教她怎麼換，怎麼看水溫，以及如何投餵魚飼料。尚之桃折騰了很久終於將小紅旗照顧完了：「都弄好了，那我走了，鑰匙還掛在樹上嗎？」

『……』

『鑰匙妳帶走，等我回來妳給我就好。另外，沙發上有一個購物袋，裡面是送妳的禮物。耶誕節快樂。』欒念掛斷電話。

尚之桃愣了愣，她也有耶誕節禮物？

沙發上擺著的方形購物袋，那 Logo 尚之桃也認識，又是一個昂貴的包，是她的聖誕禮物。

尚之桃有點恍惚，這是她短時間內收到欒念的第二個包，她覺得她與欒念上床的報酬過於豐厚了。有聖誕禮物本該愉悅，但她沒有。她寧願欒念像孫遠翥一樣送她一顆蘋果，或者一朵花，都比一個包強。

『Luke 又送了我一個包，說是聖誕禮物。』她傳訊息給孫雨。

孫雨看到，回她：『收著。』

孫雨十分現實，性伴侶不是永恆的，但錢能解決大問題，又不是打砸搶，一個男人送的包有什麼不能拿？

『收著，然後來我這裡玩。』

『好。』

尚之桃心裡那點關於愛情的幻想始終作祟，她在欒念身上期待更多東西，可又覺得是她多想。她剛二十出頭，思想並不成熟，左右搖擺不定，又覺得愛情不重要，就是這樣千迴百轉。

『謝謝您的聖誕禮物，太昂貴了。我並沒有準備禮物給您。』

『我不需要。』

『聖誕快樂。』

『聖誕快樂。』

尚之桃突然想到，那個跟欒念一起在北海道的女生知道她的存在嗎？她知道她喜歡的男人在北京有一個固定性伴侶嗎？她知道了會在乎嗎？又或者她跟她一樣，心知肚明，卻沒辦法介意？尚之桃覺得自己太沒出息了，一路胡思亂想到了家，最終是道德占了上風。

『那天您說我們兩人不管誰有新的對象，都可以提出終止關係。』

欒念正在跟一群朋友喝酒，看到尚之桃這句話眉頭一皺：『怎麼？有新歡了？』

『……我沒有。』

『那妳什麼意思，直接點。』欒念最討厭講話藏著掖著浪費時間，他不願意去猜測別人的心思。

『我的意思是如果您有其他人，也請一定告知我。我不想受道德譴責。』尚之桃打完這句話長舒一口氣，卻在看到欒念回覆的內容後心涼了半截。

他說：『炮友要受道德約束？』

『會染病。』

『做保護措施。』欒念跟尚之桃槓上了，他並不喜歡跟尚之桃聊這個莫名其妙的話題，尚之桃擺明了在說他濫情。

『所以您有其他伴侶了嗎？』今天是耶誕節，尚之桃卻過得糟透了。欒念毀了她的節日，他不在她身邊，卻用他的態度輕而易舉左右了她。她為數不多的那點倔強又冒出了頭，讓她想跟欒念把話講清楚。哪怕是炮友也要一對一，她不接受濫交。她已經這麼卑微了嗎？

『有，怎麼了？』欒念放下酒盅，對大家說：「你們先吃，我有事。」找了個安靜的地方靠著專心與尚之桃聊天。卻不用聊多久，尚之桃展示了她的決心和勇氣。

『那我要終止我們的關係。』

『行。』

欒念乾脆俐落地回覆，而後把手機揣進口袋裡，進屋喝酒。欒念的情緒突然很壞，他坐著跟他朋友們喝清酒，卻帶著十分的氣。對他來講，尚之桃不過是一個床伴，有沒有都可以，他不用勉強。更何況尚之桃對他的喜歡他心知肚明，他知道該怎麼處理，這並不難。但他就是生氣了。

尚之桃看到那個「行」字徹底認清了欒念對她的態度，在他心中，她無足輕重，不過是他的無聊消遣，有或沒有，都不重要。

她有一點想哭，卻哭不出來。將那個包帶回家，跟上一次那個放在了一起，都沒有拆開包裝，全新的。她甚至不知道那包長什麼樣子，就那樣堆在那裡。她不喜歡奢侈品就是從那時確定的，奢侈品令她覺得難過，那上面寫著她和欒念之間的距離。

她難得化了個妝，去參加孫雨的活動。耶誕節可真熱鬧，單身的人湊在一起進行八分鐘約會。尚之桃到的時候，孫雨已經講完了規則，大家正在準備自我介紹。

孫雨湊到她耳邊輕聲說：「看見藍色襯衫的男人嗎？矽谷回來的，搞測試的，出了幾本書，有房子，也有車。」

「我只是來幫妳湊數。」尚之桃對孫雨說。

「不。」孫雨搖搖頭：「尚之桃，妳來這裡是為了尋找自己的另一半。」

「好的。」尚之桃並不覺得有什麼心理壓力了，她已經結束了跟欒念的關係，她現在徹底單身了：「就那個嗎？還有誰條件好？」

「灰色毛衣那個也行。」

「好。那我去了。」

尚之桃並未參加過這種活動，這種體驗倒也新鮮，陌生人面對面，進行八分鐘的交流，然後去到下一個。她正襟危坐，認真回答對面男生的問題。問題千奇百怪，有一個戴眼鏡的男生問尚之桃接不接受頂客，尚之桃都不知道頂客是什麼，順口答：「接受接受。」

還有一個髮型二八分的男生問她：「說說妳對靈魂伴侶的理解？」

「哈？」尚之桃沒理解過，滿臉寫著我不知道，男生失望的撇撇嘴。

終於到了那個矽谷菁英，尚之桃坐在他對面，乖巧的笑笑：「你好。」

菁英頭都沒抬：「介紹一下妳自己，姓名年齡籍貫畢業院校目前職業以及經濟狀況。」像面試工作一樣。但尚之桃還是認認真真答了，幫孫雨撐門面呢。她態度極其端莊，那男人終於正眼看她：「妳是幾號？」

「什麼？」

「幾號？等等投票，我會投妳。我是六號。」

「哦哦哦，我是五號。」

尚之桃認真的記下了男人的號碼，投票的時候真的寫了六號，六號是當之無愧的魅力之王，而尚之桃只有一票。

孫雨說：「我們會在結束後介紹互投的朋友認識。」

活動結束了，尚之桃問孫雨：「矽谷菁英的電話給我吧，我們說好互投了。」

孫雨笑得直不起腰：「只有妳這個大傻瓜相信別人說要跟妳互投的話！他投給了那個露肩女人。」

「幹。太不真誠了。」尚之桃也笑出聲，一邊幫孫雨收拾東西一邊問她：「那那個露肩女人投他了嗎？」

「那個露肩女人投給了一個女生。」

「什麼？」尚之桃睜大了嘴：「哈？」

「不懂了吧。」孫雨捏她臉：「妳呀，到底知不知道社會遠比妳想像得複雜？」

「是挺複雜。」尚之桃有點服了，兩個收拾完東西都累癱在那，過了很久才相互攙扶著站了起來：「走吧，好朋友，耶誕節快樂。」

耶誕節快樂。

尚之桃望著街上的積雪，莫名說了一句。

再晚一點的時候，龍震天打電話給尚之桃，醉醺醺的要跟她講聖誕故事。

「我沒要求今天上課哦，今天這節課不給錢吶。」尚之桃逗龍震天。

『不要錢，今天是義務教學。』

「可我不要學大舌頭英語。」尚之桃嘲笑龍震天喝多了大舌頭，與他嘻嘻哈哈。

龍震天卻突然認真：『桃桃，我帶妳去美國吧？』他的激進嚇到了尚之桃，她在電話這頭合不上嘴。

『聽到了嗎？跟我走吧？』

「你醒醒酒吧龍震天。」尚之桃掛斷電話，為什麼耶誕節讓所有人都變得這麼奇怪？

「怎麼了？」

尚之桃搖搖頭，是不是大家都瘋了？

她們回到家，孫雨從包裡拿出一個小禮盒放到尚之桃手心，難得溫柔對她說：「尚之桃，聖誕快樂。」

尚之桃拿過禮物，跑進自己房間，又跑了出來：「我也準備了禮物給妳。」她將那個包裝盒放到孫雨手上，擁抱了她。

她為孫雨準備了一個積木房子，孫雨為她準備了一朵永生花。這平淡日子裡有這麼一點點甜，是難忘的友情歲月。

尚之桃開始喜歡去孫遠翥那裡借書，家裡有一個小型圖書館的感覺可真好。但她也懂克制和禮貌，要大家都在的時候她才會去他的房間。在她心中，孫遠翥是神仙一樣的人，她不忍他蒙塵。

她借書時會跟孫遠翥聊幾句，她總是覺得孫遠翥有一些悲傷的情緒。可他永遠平和，又讓她覺得那是錯覺。

她看孫遠翥的書會按照他的習慣，小心翼翼地翻，不敢留下一點痕跡。

元旦假期，別人都出門去忙，她就窩在床上看書。不僅看書，還做筆記。

只有一天跑出去跟龍震天爬山，他酒醒了之後，一個勁為那天電話中的失態道歉。道歉很誠懇，聽起來像表白。他說尚之桃就是他心目中的理想女孩，乖巧溫柔堅韌。所以他忍不住講了那番話，請尚之桃原諒他。

老外真是太逗了，不知道老外腦子裡裝的都是什麼東西。

尚之桃紅著臉聽他誇她，末了才說：「龍震天，我不能跟你去美國。我還有父母呢，你知道我們有句古話嗎？父母在不遠遊。我在北京工作都有點不孝了，可不能跟你出國。再說，我覺得你是很好的老師和朋友，但你不是我喜歡的類型哦！」

「我傷心了！」龍震天拍著胸口哀嘆，尚之桃被他逗得咯咯笑。

在元旦假期的最後一天，尚之桃重感冒了。

她從小身體好，幾乎很少生病。那時同學們接連流鼻涕，只有她，健康得像個小鋼炮。老尚常說，我女兒最大的優點就是有健康的體魄。

有健康體魄的尚之桃重感冒了，鼻塞得半顆腦袋轉不動，眼睛裡掛著兩汪水，乍一看像是受了莫大的委屈，又咳嗽不止，還連帶著發燒。即便這麼嚴重，還是早起上班。她不想請假，快過年了，她想多留幾天假期回家陪老尚大翟。

她吸著鼻子出了電梯，走道上遇到從辦公室出來的欒念，並不想跟他講話，卻還是揉了揉鼻子跟他問早：「Luke早。」

欒念目不斜視從她旁邊經過，神情很冷。

尚之桃感冒難受，無暇揣測欒念的心思。她大概也清楚，對欒念來說，關係結束了就結束了，他本來就覺得她是個蠢人，不願跟她多講話。腦子昏昏沉沉，吃了一顆藥，看時間還早，就趴在辦公桌上睡一下覺。這次感冒來勢洶洶，到了下午發起了高燒。臉燒得通紅。

Lumi 裝水回來看到她坐在電腦前眼神發直，手放到她額頭上：「祖宗啊，妳這腦門都能煎雞蛋了！」

「啊？」尚之桃反應慢，也摸摸自己腦門：「好像是有點熱……」

「回去吧，請病假。」

「病假……算年假嗎？」

「傻吧妳，帶薪病假，兩天以上記得讓醫生開診斷書。」

「好的。」

尚之桃收拾東西站起來，Lumi 將她包裹嚴實送她出門。她有點擔心，問尚之桃：「妳室友都在家嗎？」

「好像都不在。」

她們兩個進了電梯，門關上時欒念和創意中心的女生們也走了進來，他們要去一樓咖啡廳開會。

Lumi 朝大家笑笑，又輕聲問尚之桃：「都沒在家怎麼辦呢？算了，我送妳回去。」

尚之桃人生第一個北京朋友 Lumi，行俠仗義，哪怕跟 CEO 同乘一部電梯，也能光明正大地說：「妳在一樓等我，我去穿羽絨外套，開車送妳回去。」

尚之桃偷偷拉她衣袖，讓她注意點，她撇撇嘴。Kitty 有一次下午去旁邊商場買鞋被下樓接供應商的 Lumi 撞個正著。大家誰也別說誰，平時人模狗樣的，蹺班的時候不也跟膽小鬼一樣？

Lumi 才不怕這些人呢！尚之桃下了電梯，坐在一樓大廳等 Lumi，欒念他們從後門進了咖啡廳。欒念掃了眼尚之桃紅得不正常的臉，突然就有點心軟。

他在北海道喝酒的那個晚上，看到尚之桃跟他說結束關係，竟然動了一點氣。他不願跟女人糾纏，一杯酒下肚想著回來收拾她，再喝了幾杯，就覺得這樣結束挺好。尚之桃玩不起，他又不認真，這樣下去恐怕會有很多麻煩。

可這時尚之桃坐在那，儘管生病了還是坐得端端正正，他心裡生出一點憐惜。

『妳生病了？』罕見的主動因為私事傳訊息給她。

尚之桃看到欒念傳給她的訊息，卻將手機放進口袋裡，沒有回他。她這場病究竟為什麼生，只有她自己清楚。一邊是對欒念那無望的感情，一邊是想放手的念頭，交替折磨她。不被愛的感覺太糟糕了，糟糕到她心裡生出一股暗火無處發洩，她如果不生病，恐怕就無法收場了。

欒念跟部門開會，透過咖啡廳的玻璃後門掃到尚之桃那裡，看到她收起手機不回他訊息，姿態倔強。

Lumi 來了，帶她走了。

欒念從來都知道尚之桃有一點小小的倔強，她的倔強藏得很深，會讓人誤以為她一直逆來順受。但她偶爾爆發的情緒將她的倔強袒露出來。

他跟他們碰完了想法就站起身：「接下來的工作 Grace 帶著一起做吧。」上樓穿上衣服開車出了公司。他上電梯時遇到送尚之桃剛回來的 Lumi 跟他打招呼：「Luke 好啊。」

「妳蹺班了？」

「啊……Flora 生病了，我送她回家。」Lumi 理直氣壯。

「嗯。蹺班扣薪水，妳去找ＨＲ報備。」欒念板著一張臉，也看不出說的是真是假。

Lumi 在他身後切了一聲，心想我把你心愛的 Kitty 也一起報備了。

欒念按了關門鍵，有時他覺得這些人挺蠢的，燒得臉都紅了不去醫院妳他媽回家？

將車開到尚之桃社區門口打給她，尚之桃不接，可能是睡著了，也可能單純不想接。

『下樓。』欒念傳訊息給她：『填請假單。』

欒念抬出老闆的身分壓人，公事公辦的態度終於讓尚之桃熄了火。她思忖該怎麼回他，又看到他的訊息：『身分證健保卡拿下來，在我電腦裡填。』

「……」尚之桃覺得欒念真的管得太寬了，員工有沒有填請假系統他都要追到家裡問，公司裡那麼多人，難不成他要一個一個盯考勤？拖拖拉拉下了樓，看到欒念開了被她撞壞的那輛車，又有一點心虛。

上了車對欒念說：「對不起啊 Luke，我不是有意不填系統的。我忘了。」

也不知道為什麼，燒退了一下，現在又起來了。喉嚨像嗆水一樣難受，講起話來很費力。咳起來不停，快斷氣一樣。

欒念等她咳完才問她：「身分證健保卡帶了嗎？」

「帶了。」

欒念不再講話，啟動了車。尚之桃有點詫異，轉過頭去看他：「您這是去哪呢？」

欒念也不回答她，將車開到尚之桃家附近的醫院。

「下車。」

「我不去醫院。」尚之桃從小身體好，卻也最怕去醫院。這時看到醫院有點腿軟，退縮了，坐在車裡一動不動：「我要回家。」

欒念眉頭挑挑，說道：「我看看妳在系統裡填寫的緊急聯絡人是誰。」說完去拿電腦，尚之桃慌忙按住他的手：「別。」

她掌心滾燙滾燙，貼在欒念手背上，意識到這樣不妥，迅速將手抽回：「我這就進去掛號，謝謝您送我來。」她不想再跟欒念牽扯了，這幾天她想清楚好多好多事，她不像欒念，拿得起放得下。她沒有那樣的本事，她無意間看到他在別的女人身邊的樣子，知道對他來講，她只是解決生理需求的手段。可以是她，也可以是別人。原本她以為自己可以不在乎，可她在乎了。

她一個人進了醫院門診，心想我可不抽血。門診裡人來人往，她在裡面走了一圈，想找個安靜的地方等一下就回家。一回頭看到欒念站在她身後，還開口譏諷她：「不認識掛號窗口是吧？」

尚之桃抿著嘴不講話，她不知道該講什麼，她拿不準欒念為什麼多管閒事，他這人就是這樣，妳明明都死心了，他竟然又要對妳好那麼一點，讓妳以為在他心中妳是那個特別的人。

欒念懶得廢話，走到尚之桃面前從她羽絨外套口袋裡拿出身分證和健保卡，還不忘威脅她：「妳緊急聯絡人叫尚文彬是吧？」

威脅管用。尚之桃最怕爸爸媽媽知道她生病，南京讀書那四年，也生過一兩次病，她都瞞得好好的。

還是乖乖看了醫生。

尚之桃覺得自己前進後退都不行。欒念就那樣堵住她所有去路，她有點無助。從醫院出來，窩在欒念客廳的沙發上，手邊是他為她燒的開水。尚之桃被欒念逼著喝水，他眼風過來她就要喝一口水。

她聽欒念跟他媽媽講電話：「黴漿菌感染引起的輕度肺炎，伴有咳嗽高燒症狀，應該吃點什麼？」

電話那頭說了很久，然後欒念回答：「不是我，幫朋友問。」

「我知道了。拜拜。」

欒念掛斷電話去拿外套，對尚之桃說：「妳跟 Alex 請假吧，全休病假五天。」

「我還有工作。」

「等妳燒死了就不用再想工作了。」

「那我回家休息。」

欒念聽到這句停下動作，看著尚之桃。徑直問她：「妳在彆扭什麼？」

尚之桃抿著嘴不講話，欒念看她一眼：「妳組織一下語言，等我回來再說。」

尚之桃真的在組織語言了，她發著燒，腦子不大好用，但還是提煉重點：第一，我們之間是一場意外；第二，我們這樣的關係有違道德；第三，我們已經結束了關係，我主動提出來的。所以，我們不應該做任何看起來曖昧的事。

尚之桃想著想著，睡著了。

發燒的人嗜睡，欒念家的沙發又舒服，蓋在她身上的薄被子又溫暖，這裡又安靜，沒有裝修的電鑽聲。一切恰到好處，太適合睡眠。

欒念拎著東西回來，看到她窩在沙發上睡得很死，臉燒得通紅，額頭還有細汗，鼻腔裡發出咻咻的聲音，身體內的病毒正在打架。

脫了大衣轉身去了廚房。

剛剛出去買了很多東西，都是他媽媽梁醫生傳來給他的養病清單，梁醫生甚至還祝福他的朋友早日康復，還說要養好，肺炎養不好，以後反覆起來可有得受苦。

如果梁醫生知道他的朋友這時就睡在他家裡，不知道會怎麼想？

欒念為尚之桃做了飯，手邊是手機備忘錄，記了梁醫生說什麼能吃什麼要忌口。他並沒有去深究為什麼尚之桃生病了他會有一點著急擔心，只是覺得她一個人在北京有點可憐。同情心作祟。他這樣總結。

什麼時候你也開始有同情心了？一邊做飯一邊問自己。

飯做好了，尚之桃還在睡，欒念坐在沙發上翻雜誌，廚房的砂鍋裡是小火慢燉的冰糖雪梨。欒念家裡有數不清的雜誌，閒時翻雜誌，看看市面上都流行什麼。偶爾探手到她額前試體溫，比剛剛好了一些。

尚之桃在昏暗中轉醒，看到欒念開了一盞小燈，燈下的他臉部線條也不見柔和，冷冷清清的人。她有點難過，沒人告訴她愛上這樣的人應該怎麼辦，靜靜看著他，等一個開口的時機，好讓她把打好的腹稿悉數講出。

欒念聽到動靜偏過頭看她：「醒了？」

「嗯。」

「吃飯吧。」

尚之桃有點驚訝，她到了嘴邊的話都嚥了下去。咳嗽了幾聲跟在欒念身後去到餐桌前。

「辛苦您。」

「妳改改口吧。」

「什麼？」

「您來您去妳不累嗎？」

「哦。」

欒念做了幾道青菜，還有一道慢火燉牛肉，尚之桃受到這樣的優待有點受寵若驚，睡前打好的腹稿忘得乾乾淨淨。安安靜靜吃飯，偶爾看欒念一眼，發現他還是那樣，冷冰冰的人，好像在北海道笑得那麼開心的人不是他。吃完飯，她覺得自己該走了，可欒念端來一小盅冰糖雪梨。

尚之桃的心突然狠狠疼了一下。

對一個炮友這麼好，突然能夠想像他是怎麼對臧瑤的了，那一定是她想像不到的好。

悶頭喝了雪梨湯，然後站起身穿衣服，說道：「感謝您的照顧，我好多了，不打擾您了。」

欒念眉頭皺著，也不多講：「我送妳。」

「那麻煩您了。」

尚之桃不想說那些話了，她覺得她自己堅決一點，比說任何話都管用。她坐上欒念的車，快到的時候在包裡翻鑰匙，她的鑰匙弄丟了。怎麼就弄丟了呢？明明放在包裡很安全的地方。於是打給孫雨，孫雨聽她聲音很啞，問她是不是嚴重了？她說好多了。我鑰匙不見了，妳幾點回來？

『我現在在去唐山的路上啊，明天有個相親活動，我得去盯著。』

「那沒事，我問張雷。」

掛了電話才想起孫遠翥去了西北，張雷去了成都。尚之桃捏著電話不知道該怎麼辦。

欒念的車掉了頭，往他家方向開。

「要不然您把我放在路口吧，這附近有飯店。」不回去欒念家是她最後的倔強了。

「死在飯店裡？」欒念生氣的時候講話格外刻薄，但他不常生氣，最近這半年生那幾次氣，都是跟尚之桃。

尚之桃被他噎了這一句，真的生了氣。她看著車窗外不講話，因為感冒和生氣，呼吸聲有點重，胸口起伏。

欒念最懂拿捏別人，這時報出一個電話號碼，然後說：「是這個吧？妳去住飯店，我跟妳家人說妳的情況，也說清楚妳如果出什麼意外或者有什麼後遺症不是公司的問題。」

尚之桃的氣焰一下子滅了，欒念打蛇打七寸，直接找到她的軟肋。她不願讓父母知道自己生病了，怕他們著急，畢竟她一直在電話裡說：我過得很好，我的同事很喜歡我，我的老闆很器重我，我的收入足夠我揮霍了，這樣下去我三十歲之前就能在北京買房子了。

欒念這個人如果打電話給她父母，一定會說她表現差強人意，屢次在被開除邊緣徘徊，收入在公司也只是一般偏下水準，三十歲之前不可能買房子。還會說：您女兒好像私生活不檢點。

他嘴那麼毒，一定會這麼說的。

「我只是不想麻煩您。」

欒念淡淡看她一眼，淡淡說道：「妳放心，妳我之間的關係結束了，但好歹睡過幾次。我做售後服務，等妳好了妳我之間就算徹底了斷了。」然後他學尚之桃的口氣：「我絕不會把我們的事告訴別人的。」

尚之桃說不過他，只得點頭：「那我謝謝您。」

「不客氣。應該的。」

兩個人折騰這一趟，又回到了欒念家裡。社區保全看著他們的車開出去又開回來忍不住打招呼：「欒先生，這麼快就回來了。」

然後看著尚之桃笑笑。保全總覺得尚之桃不像不良從業者，欒念也不像那種招妓的人，但她看起來又不像欒念女朋友。關係真奇怪。

好奇的不只保全一個。

尚之桃也好奇。

欒念到底是什麼樣的人呢？那麼堅硬的人，卻幫她做了一頓病人飯；身邊那麼多女人，卻敢帶她回家；別人恨不得離肺炎患者遠點，他卻照顧她。

「您能借我一件T恤嗎？我沒有睡衣，我的隱形眼鏡還得摘……」

欒念走進客房，打開衣櫃，裡面掛著兩身居家服，又去洗手間，拉開抽屜，隱形眼鏡盒和隱形眼鏡保養液，還有女士保養品。

尚之桃不知道這是怎麼回事，他家裡為什麼會有這些。欒念卻聳聳肩：「妳跟別的女人共用吧。」他半真半假，甚至拿出不同顏色的便利貼：「貼上，這樣別人不會穿錯用錯。」

尚之桃再笨也看出欒念在逗她了，這根本就是他為她準備的，因為她問過「睡衣浴巾隱形眼鏡保養液……」

那時欒念怎麼說的：「妳不會自己帶來？」

原來他是這樣的人。是一個看起來對什麼都不上心，其實妳講話他都在聽的人。所以他默認了她可以放東西在他這裡，是因為她是他在這個城市的唯一床伴嗎？

尚之桃胡思亂想去沖澡，穿上欒念為她準備的睡衣。這睡衣很舒服，可她沒有穿內衣，就有點不自在。欒念敲門為她送藥，她鑽進被窩露出腦袋，看他將藥放在床頭，就是不肯出來。

欒念被她氣笑了：「我沒看過？」

「？」

「妳怕什麼？」

「……孤男寡女不合適。」尚之桃認真道。

「嗯。」欒念抬腿向外走，在門口停下說了一句：「親熱的時候沒覺得哪裡不合適？」

關上門，走了。

尚之桃在欒念的威逼利誘下，在他家裡待了整整一個星期，直到去做復查，醫生說炎症消了才同意她走。尚之桃跟著欒念從醫院出來，回到他家收拾東西，無非是那兩件衣服，裝進雙肩包，臨走前想去洗手間，看到赫然擺在那的隱形眼鏡保養液，心突然就疼了一下。她至今想不通為什麼欒念會為她準備這些，還有擺在沙發上的聖誕禮物，這些都會令她產生欒念其實有一點喜歡她的錯覺。

突然之間，心頭又湧上委屈。

站了好一陣子才推開門出去，看到欒念正在門口等她。徑直走到他面前，眼睛看著他的，認真問他：「你講話為什麼這麼惡毒？」

「你是對所有人惡毒還是只對我？」

欒念不知道她為什麼要問這些問題，眉頭微微皺起。

誰以後再認真，誰他媽就是傻子！尚之桃心裡說了這麼一句，伸手拉住欒念衣領，用力將他拉向她，張口咬住他嘴唇。

都絕口不提尚之桃說過結束關係的事，她剛剛痊癒，欒念比從前溫柔了一些，也耐心了一些。尚之桃急得跟什麼一樣，他把她的手按在頭頂，就是不順著她的心意痛快予她。

欒念記仇，現在急了，當初說結束關係的時候怎麼就那麼瀟灑？他就不如她願，說白了是在懲罰她。把她逗急了，眼睛紅了，才貼著她的唇問她：「不結束了？」

尚之桃覺得自己快要神智不清了，輕輕搖頭，唇擦著他的，順便將自己的舌尖遞給他。

他們騙不了自己，也騙不了對方。嘴上講的話再惡毒，身體最誠實。他們的身體都最喜歡彼此。比跟以往的任何人都要喜歡。到後來，都有點控制不住，欒念的牙齒咬住她耳垂，惡狠狠問她：「還鬧不鬧？」

尚之桃搖頭，眼裡起了水霧，欒念突然有點心疼，和緩下來，將她扣進他懷中。

欒念終於肯承認，尚之桃說結束關係後他喝的那杯酒是苦的，並且心裡覺得有點可惜。

他真喜歡她的身體。

這一年就這樣結束了。

尚之桃坐在工位上寫這一年的結語，也從抽屜裡拿出她寫的 To Do List，學開車了，可以劃掉了。英語進步了一點點，可以先打勾，結交了三個以上朋友，想了想，也實現了。

認真回顧這一年的種種，有一點心酸，更多的是快樂。至於心酸的是什麼，她說不清。

她將 To Do List 裝進抽屜，開始收拾辦公桌，明天一早就要回家了，這種感覺可真好。

她拿了四萬多年終獎，那時犯錯，欒念說扣她年終獎，原來是在嚇她。想著卡裡躺著好幾萬塊錢，突然就覺得自己也是有積蓄的人了。她已經開始打算怎麼花這筆錢了。要幫老尚大翟把老花眼鏡換了，再買兩身新衣服給他們。

年後為室友、Lumi和姚蓓準備禮物，也要送自己一份禮物。她的抽屜裡放著一個小盒子，是她提前買好給欒念的新年禮物，卻一直沒送給他。

欒念送過她兩個包，具體多少錢，尚之桃不知道，她沒拆開看過。她覺得應該回贈點什麼，可欒念什麼都不缺，她總覺得自己送他禮物會顯得很怪異，甚至會打破他們之間好不容易找到的平衡。

她想了很久，最終決定送欒念一盒魚飼料。照著他家魚缸下面的樣子買的，她週末學完英語去花鳥魚蟲市場問了好幾家才買到。她指著一條魚問店主：「就是這種魚，叫什麼？平時吃什麼？」

店主說：「紅龍。」

「多少錢？」

「四千。成色好的更貴一點。」

「哦哦。」小紅旗原來是紅龍魚啊，每次見到尚之桃都好像跟她很熟一樣，順著她的指尖方向在魚缸裡游。小紅旗比欒念有人情味多了。

「我買牠的食物，最貴的那種。」

「四百三一盒。」

尚之桃一咬牙，買了。這時看著手邊的小禮盒，無論如何都鼓不起勇氣送給欒念。眼看著同事走光了，欒念也站起身裝電腦了，如果今天不送明天就沒有機會了。他凌晨的飛機去美國，她明天一早的火車回冰城。欒念這次要走很久，探親、在總部開會、創意大賽，要到三月初才能回來。

欒念出了辦公室，尚之桃背起包拿起那個禮盒跟在他身後一起上了電梯。欒念從電梯鏡裡看到她手中的小盒子，以及惴惴不安的她。乾脆直接問她：「送我的嗎？」

尚之桃臉微微紅了，點了點頭。

欒念伸出手，見尚之桃站著不動，眉頭一皺：「不送了？」

尚之桃將那小盒子放在他掌心，在電梯門開之前對他說：「一路平安。」

「妳也是。」

欒念上了車看著那個禮盒很久，終於動手拆了。拆開的一瞬間，他心裡的忐忑消失了，看著那盒魚飼料笑出聲。

尚之桃可真行。

他將車開出地庫，特意繞到公司前面，尚之桃果然還在攔車，將車停在她面前：「上車。」

尚之桃有點納罕，今天不是週五，明天他們各自要遠行。

「不上？」欒念見她磨蹭，開口催她。

尚之桃打開車門，看到她送他的禮物放在副駕，欒念拿起，等她坐上車將魚飼料放在她腿上。還有一串鑰匙。尚之桃愣在那，看看鑰匙又看看欒念。

欒念目視前方，淡然說道：「既然送這個禮物，那妳也順便做一下售後服務吧，我不在的日子，有勞妳幫我照顧一下我的魚。」

「您家裡貴重物品那麼多……」

「都帶不走。」

「哦。」

「謝謝妳送我禮物。」

「不客氣，您也送過我。」

欒念察覺到她的拘謹，突然笑了：「尚之桃，妳知道妳什麼時候最勇敢嗎？」

「嗯？」

「在床上的時候。」欒念頓了頓：「特別放肆，特別勇敢。」

欒念也曾想過，尚之桃身體裡是不是住了兩個人，一個負責她的野性，一個負責她的謙卑。不然為什麼她臉變得這麼快？

「首先，在這一年最後一次見面的時候，我希望妳改掉對我的稱呼。」欒念覺得那稱呼十分可笑，學尚之桃的口氣：「您……別親那……」

欒念很少說這麼多話，尚之桃發現他多話的時候竟然是一個挺逗的人，他學她的語氣維妙維肖。可偏偏挑最令她羞赧的那句來說。忍不住笑出聲，卻也紅了臉。

「怪異嗎？」欒念問她。

尚之桃點點頭：「怪異，那我怎麼稱呼您……」看到欒念的眼風，住了嘴。

「叫我欒念就好。」

「哦。其次呢？」

「其次……」欒念將車在車庫停好：「妳這麼拘謹好像我們從來沒睡過。」

「我不是有意的，是因為我們還不算太熟……」

欒念點頭：「原來是因為我們睡得不夠熟……」

他抱起尚之桃，將她丟到床上，動手解他自己的衣釦，他又不講話了，只有幽深的眼罩在尚之桃身邊，帶著殺氣。尚之桃有一絲緊張，不自覺咬了唇，又被欒念禁錮。他沉聲說：「別咬嘴唇，咬我。」

尚之桃最聽話，一口咬在他脖頸，以為欒念會像從前一樣躲，但這次他沒有。從前欒念會說：「見女客戶不方便。」他講的是真話，如果姜瀾看到他脖子上有吻痕，她一定殺將過來，要跟他也來一次雲雨，欒念不想應付。

尚之桃的牙齒微微用力，舌尖掃過他脖頸上那道血管，欒念沉重的呼吸就落在她耳中，比什麼都管用。

「我還想多咬幾下。」尚之桃在他耳邊呢喃：「敢不敢？」

「放馬過來。」

尚之桃就真的咬他，她在他脖頸上、胸前、肩頭都留下印記，她覺得自己有一點小狗尿尿的心態，這地方我尿過了就是我的，請欒念紐約的床伴注意避讓。

欒念卻悶聲幹大事，在她幾近瘋狂的時候，含住她脖頸的一小塊肌膚，將她的放肆也還給了她。

然後問她：「這下熟了嗎？」

「熟了一點。」

一直鬧到凌晨，欒念要趕飛機，劉武在門口等他。尚之桃躲在屋子裡不肯讓劉武看到她，她的那點小心思欒念看得清楚，並不為難她，走了。

尚之桃揣著欒念家裡的鑰匙，覺得沉甸甸的，生怕弄丟了，於是一直放在貼身的小包裡。

等她回到冰城，看到漫天漫地的白雪，大街小巷的燈籠雪里，一顆心終於歸位了。她喜歡冰城的雪，還有老城的破舊建築，街邊排放在地上賣的冰棒，還有一字排開的春聯掛畫。要過年了呢！

老尚大翟看到她咧開嘴笑，大翟將她的臉揉成一個麵團，口中念著：「我的女兒瘦了啊……」

「媽！」尚之桃扁著嘴抗議：「我哪裡瘦了！我這麼強壯的人！」

「那還有黑眼圈呢，是不是工作太累了？」

尚之桃有點慚愧，年底這幾天工作不累，昨天伺候老闆太累了。她被大翟趕回房間睡覺：「妳先睡一個小時，飯做好了叫妳。」

尚之桃還真能睡得著，蒙頭補覺，期間聽到門輕輕響了兩次，響第三次時她從被窩裡露出頭，看到老尚和大翟正在門口偷偷看她。

老人想孩子，又不忍心打擾她睡覺，只好一次次偷偷來看。尚之桃鼻子一酸，差點忍不住落淚。想起身下床跟他們親近，突然想起欒念犯的壞，她得遮住她的脖子。不然二老肯定會問。於是將被子裹嚴實，對他們撒嬌：「我還想睡一下~昨天通宵了，好累。」不說因為什麼通宵。

老尚心疼女兒，點頭：「那妳再睡一下，我們晚點吃飯。」

「嗯嗯。」

老尚關上門，尚之桃翻了件高領毛衣穿上，好在這裡是冰城，高領毛衣不突兀。然後走出去跟老尚吃飯。尚之桃自告奮勇陪老尚喝點，老尚幫她倒了一點點白酒：「妳那點酒量少喝點。」尚之桃嘿嘿笑了一聲，跟老尚碰了杯。回到家，就放鬆下來，轉眼就把北京的一切都忘在了腦後。

吃過飯就開始打電話給同學們，她高中時候有幾個要好的朋友，有的畢業後去了市警察局、有的在政府，也有一兩個人做小生意。冰城嘛，講求安穩，拿個鐵飯碗比什麼都強。大家相約了大年初二去唱歌，這麼一聊就聊到深夜，再睜眼，過年了。

農曆新年的時候，欒念剛進家門不久。梁醫生正在跟欒明睿鬥嘴：「你這麼說太狹隘了。」

梁醫生是醫學專家，專門攻克腫瘤的，清高又自律；欒明睿從商，每天大把的錢過手。兩個完全不相干的人就這樣湊到了一起，拌了一輩子嘴。

見欒念進門，都收了聲，梁醫生去擁抱欒念，看到他脖頸上的草莓，嘖嘖一聲：「這麼激烈？」

欒念不知怎麼臉有點紅，他不介意帶著草莓漂洋過海，卻萬萬沒想到遭到母親的調侃。心想尚之桃下嘴可真黑，比他黑多了。

「狗咬的。」他淡淡說一句，上樓去換衣服。在穿衣鏡前看到自己身上的痕跡，想起尚之桃有一點瘋的樣子，突然笑出聲。

下了樓，梁醫生的眼睛還在他脖頸上，打趣道：「這記號留得好。」

欒明睿終於站起身到欒念面前看他，笑著說一句：「年輕人。」

「所以一家三口久別相見就沒別的話題了？」欒念抗拒他們一直圍著他脖子看，索性找了OK繃貼上，欲蓋彌彰。

「貼上挺好，等等大家都來了，肯定要追問。」欒明睿逗他。

「今天都誰？」

「今天啊，你宋叔叔一家、陳叔叔一家。」

「秋寒和寬年也來？」

「不然呢，留他們在家餓死嗎？」

在美華人喜歡湊在一起過年，這樣熱鬧。欒念喜歡那兩個小子，小他幾歲，但都是大好青年的樣子，他們甚至相約從明年開始一起旅行。

這一年熱熱鬧鬧，欒念跟親朋好友一起吃飯，收到一封郵件，尚之桃在郵件裡鄭重祝他新年快樂。她說：『新年快樂，新的一年一切都好。』

欒念回她：『新年快樂，下次下嘴輕點。』

——《早春晴朗》01 完——

高寶書版集團
gobooks.com.tw

YH 185
早春晴朗（01）
作　　者　姑娘別哭
封面繪圖　YY
封面設計　單宇
責任編輯　楊宜臻
內頁排版　賴姵均
企　　劃　何嘉雯

發 行 人　朱凱蕾
出　　版　英屬維京群島商高寶國際有限公司台灣分公司
Global Group Holdings, Ltd.
地　　址　台北市內湖區洲子街88號3樓
網　　址　gobooks.com.tw
電　　話　(02) 27992788
電　　郵　readers@gobooks.com.tw（讀者服務部）
傳　　真　出版部(02) 27990909　行銷部 (02) 27993088
郵政劃撥　19394552
戶　　名　英屬維京群島商高寶國際有限公司台灣分公司
發　　行　英屬維京群島商高寶國際有限公司台灣分公司
法律顧問　永然聯合法律事務所
初版日期　2025年02月

原著書名：《早春晴朗》由北京晉江原創網絡科技有限公司授權出版。

國家圖書館出版品預行編目(CIP)資料

早春晴朗 / 姑娘別哭著. -- 初版. -- 臺北市：英屬維京群島商高寶國際有限公司臺灣分公司, 2025.02
冊；　公分. --

ISBN 978-626-402-188-3(第1冊：平裝). --
ISBN 978-626-402-189-0(第2冊：平裝)

857.7　　114001365